HANGJIA
DAINIXUAN

行家带你选

颜色釉瓷

姚江波 ／ 著

中国林业出版社

图书在版编目 (CIP) 数据

颜色釉瓷 / 姚江波著 . – 北京：中国林业出版社，2019.1
（行家带你选）
ISBN 978–7–5038–9883–9

I. ①颜… II. ①姚… III. ①颜色釉 – 瓷器〔考古〕– 鉴定 –
中国 IV. ① K876.34

中国版本图书馆 CIP 数据核字 (2018) 第 279148 号

策划编辑　徐小英
责任编辑　曹　慧　徐小英
美术编辑　赵　芳　曹　慧

出　　版　中国林业出版社(100009 北京西城区刘海胡同7号)
　　　　　http://lycb.forestry.gov.cn
　　　　　E-mail:forestbook@163.com　电话：(010)83143515
发　　行　中国林业出版社
设计制作　北京捷艺轩彩印制版技术有限公司
印　　刷　北京中科印刷有限公司
版　　次　2019 年 1 月第 1 版
印　　次　2019 年 1 月第 1 次
开　　本　185mm×245mm
字　　数　203 千字（插图约 400 幅）
印　　张　12
定　　价　75.00 元

定窑白瓷碗·宋代

绞胎碗（三维复原色彩图）·唐代

钧红釉碟（三维复原色彩图）·宋代

钧瓷碗·元代

◎ 前　言

　　中国古代颜色釉瓷器萌生于东汉晚期，犹如一列时空列车缓缓向我们驶来，映红了历史的天空。颜色釉瓷器以其万变的釉色，瑰丽的色彩，无双的造型，给人们诠释了惊世之美。

　　颜色釉瓷器的色彩有着深刻的时代背景渊源和生活底蕴，是时代的产物。如：钧红是一种视觉艺术，所有的钧红，无论是海棠红，还是玫瑰紫、丁香紫、葡萄紫、柿红等都是来源于生活。又如：柿红原本是源自于中国北方地区所产的一种水果，在秋天红彤彤地挂满了整个的树枝，然而钧红决不是只追逐模仿，而是来源于生活高于生活，在人们享受视觉盛宴的同时给人以启迪，通过色彩触动人们的情怀，将人们的思绪带入艺术的境界，使人们沉寂在无尽的美好回忆当中。再如：豇豆红的色彩犹如豇豆的红色，处处呈现出的是一种淡雅之美，色彩烧造难度极大，在釉面之中带有绿色斑点，这显然不是缺陷，目的是要幻化出犹如小孩脸蛋似的迷人色彩，人们称之为"娃娃脸"，非常可爱；豇豆红釉还可以幻化犹如粉红桃花似的色彩，俗称"桃花扇"；还可以模仿与美人对酒把盏那醉意朦胧的脸，称为"美人醉"等。颜色釉将瓷器上所能烧造的色彩运用到了极致，犹如俗世中的一剂清新剂，令人们如痴如醉。

　　实际上，人们对于颜色釉瓷器色彩的探索从未停止过。中国古

邢窑玉璧足白瓷碗·唐代

黑瓷灯·明代

代颜色釉瓷器的发展是一个由低级向高级发展的过程，早期色彩较为单调，逐渐至万紫千红，千变万化，无疑达到了色彩最美的一面，犹如一颗颗璀璨的明星，星光灿烂。然而颜色釉瓷器在清代乾隆后期走向衰落，基本不见精品，直至今日再也没有能够重返辉煌。

中国古代颜色釉瓷器在古瓷器发展史的历程中，精品力作犹如灿烂星河，有很多都是宫廷御用之器，造型隽永，精美绝伦，影响十分深远，而且品类繁多，传世品较多，存世量较大。正因如此，历代收藏者对于颜色釉瓷器趋之若鹜，颜色釉瓷器一直是历代收藏家热捧的对象。但是，目前颜色釉瓷器伪器繁多，市场上充斥着的仿品，使人真伪难辨。

本书拟从文物鉴定角度出发，力求将错综复杂的问题简单化，以胎色、釉色、开片、流釉、化妆土、完残、窑口、原料、淘洗、粗细程度、杂质等鉴定要素为切入点，具体而细微地指导收藏爱好者由一件颜色釉瓷器的细部（釉质/造型/时代/胎体/精致程度等）去鉴别古瓷器之真假、评估古瓷器之价值，力求做到使藏友读后由外行变成内行，真正领悟收藏，从收藏中受益。

本书在编写过程中，为了帮助读者拓展知识面，使许多看不到的鉴定要点呈现出来，专门创作了三维复原色彩图及三维复原图。三维复原色彩图是通过三维扫描等手段，对颜色釉瓷标本色彩取样、放大到无限清晰后，使其在三维环境下生成。有助于读者观察色彩，而此时的造型仅起到附着物的作用（三维复原色彩图重点看色彩，造型可忽略）；三维复原图则是针对造型与色彩的双重复原，既要看色彩，同时也看造型。另外，本书中使用了部分颜色釉瓷高仿品的图片，以帮助读者识别当今市场上出现的高仿品，增强辨别真伪的能力。以上是本书所要坚持的，但一种信念再强烈，也不免会有缺陷，希望不妥之处，大家给予无私的批评和帮助。

姚江波

2018 年 12 月

◎ 目 录

海棠红钧瓷盘·宋代

钧瓷罐·元代

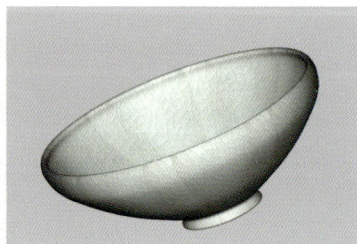
汝窑天青釉瓷碗（三维复原色彩图）·宋代

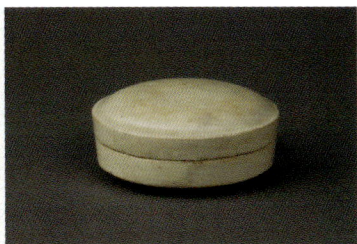
精美绝伦白瓷盒·唐代

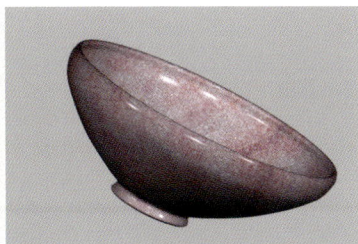
玫瑰紫釉碗（三维复原色彩图）·宋代

兔毫釉盏·宋代

黄釉花口碟·宋代

第一章 综述

第一节 数量

中国古代颜色釉瓷器常见（图1-1），种类繁多，主要有青瓷（图1-2）、黑瓷、白瓷、黄釉、绞胎釉（图1-3）、哥釉（图1-4）、钧红釉、油滴釉、兔毫釉、天青釉、月白釉（图1-5）、紫釉、褐釉、酱釉、天蓝釉、酒蓝釉、孔雀绿釉、粉青、梅子青、绿釉、矾红釉、茶叶末釉、茄皮紫釉（图1-6）、甜白、郎窑红、豇豆红、仿哥釉、仿汝釉、仿官釉、仿竹器、炉钧釉、乌金釉、珊瑚红、胭脂水、仿漆器等，墓葬、遗址、传世品中都有见。

图1-1 精美绝伦的黄釉瓷寿桃·明代

图1-2 精益求精的青瓷碗·宋代

图1-3　绞胎釉瓷器标本·唐代

如果纯粹从总量上看，青瓷、黑瓷、白瓷、黄釉等瓷器在总量上远大于其他诸多色釉瓷器的总和。

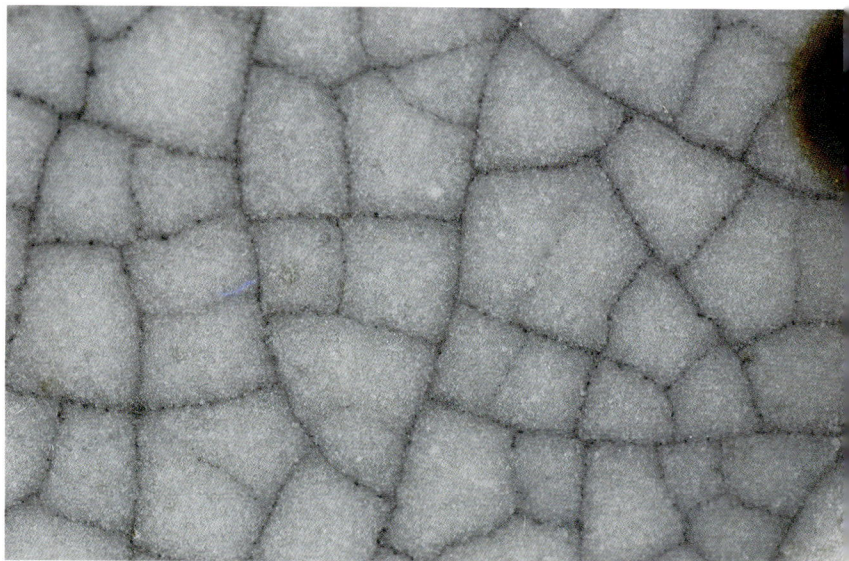

图1-4　哥窑开片釉标本·宋代

图1-5　月白釉瓷器标本·宋代

图1-6　茄皮紫釉标本·清代

但如果从珍稀程度上看，色釉瓷器在件数特征上表现比较复杂，如郎窑红、豇豆红等在数量上少到了极点。从官窑与民窑上看，一般情况下官窑产品在数量上罕见，如茶叶末釉（图1-7）、茄皮紫釉、甜白、郎窑红、豇豆红、仿哥釉、仿汝釉、仿官釉、仿竹器、炉钧釉、乌金釉、珊瑚红、胭脂水等数量都极为少见，有很多瓷器终身未走出宫廷。而民窑烧造的颜色釉瓷器在数量上较多，如钧釉、黄釉等瓷器（图1-8）。

从窑口上看，色釉瓷器的生产具有鲜明的特征。一是时代性，色釉瓷器在时代上形成了从瓷器开始之日起到明清时期的两大阵营（图1-9）；二是窑口性，形成了景德镇窑同传统诸多窑口相对峙的局面（图1-10）。而从总量上看，传统色窑场生产的颜色釉瓷器在总量上要远大于景德镇窑生产的诸多品类的颜色釉瓷器。

图1-7 茶叶末釉瓷瓶·清代

图1-8 花口沿黄釉瓷碟·宋代

图1-9 兔毫釉茶盏局部·元代

图1-10 景德镇窑黄釉瓷碟·清代

第二节 品 相

图1-11 精美绝伦的白瓷碗·宋代

中国古代颜色釉瓷器由于距今时间较为久远，在品相上表现出的是参差不齐，既有完好无损、精美绝伦之器（图1-11），更有残缺不全，损失严重者（图1-12）。可分为两种格局：

一是传统色釉瓷阵营，如青瓷、黑瓷、白瓷、黄釉、绞胎釉、哥釉、钧红釉、油滴釉、兔毫釉、天青釉等（图1-13），总体来讲品相不是很好，参差不齐，主要是残缺的器皿太多。

二是景德镇窑阵营，如茶叶末釉、茄皮紫釉、甜白、郎窑红、豇豆红、仿哥釉、仿汝釉、仿官釉、仿竹器、炉钧釉、乌金釉、珊瑚红、胭脂水、仿漆器等瓷器在品相上比较好，基本为官窑生产，在当时就十分名贵，多被人们陈设于厅堂或者用于把玩，即使实用也非常小心，这也是其品相保存完好的重要原因（图1-14）。而且所有的官窑序列颜色釉瓷器都是传承有序，多数收藏在宫廷之中，因此品相优者相对较多。看来遗留到今天的传统颜色釉瓷虽多，品相优者少，因此品相优的传统色釉瓷器，保值和升值的潜力都非常大，具有很高的收藏价值。而景德镇窑众多的颜色釉瓷器虽然品相优者多，但由于过于贵重，当时生产的就少，收藏又是传承有序，今天多数被收藏在大的博物馆中，所以很难见到，因此也具有很高的收藏价值，保值和升值的潜力很大。当然品相有问题的器皿，我们在收藏的时候要谨慎，显然它的部分研究和艺术价值还在，但经济价值因品相问题会带来多大的损失，我们不得而知，鉴定时应引起注意。

图1-12 残缺严重的耀州窑青瓷标本·宋代

图 1-13 精美绝伦的兔毫釉盏·宋代

图 1-14 仿哥釉贴花瓷瓶·明代

图 1-15 釉质温润的红釉瓷尊·清代

图 1-16 釉质温润的红釉瓷瓶·清代

第三节 温 润

　　颜色釉由于兼具装饰和把玩的功能，所以特别注意釉质的温润，大多数颜色釉瓷器用手感觉都是十分温润（图1-15），如茶叶末釉、茄皮紫釉、甜白、郎窑红、豇豆红、仿哥釉、仿汝釉、仿官釉、仿竹器、炉钧釉、乌金釉等无不是这样（图1-16），可以说在手感上达到了相当好的水平，当然这主要是由其功能决定的。

　　一般情况下，官窑烧造的颜色釉瓷器在手感上比较温润，在釉质上光滑如脂，这说明其釉料选择优良，淘洗精炼，烧造无任何缺陷。而民窑烧造则在手感上有时会有粗涩感（图1-17）。从高温和低温上看，高温釉和低温釉颜色釉瓷器在温润的程度上大有区别。高温釉的颜色釉瓷器手感滑润、细腻、有油性的感觉，但就是温润度的感觉不是很好；而低温釉颜色釉瓷器在手感上比高温釉更加细腻柔滑，温润的感觉会油然而生。从实用器和非实用器上看，一般情况下非实用器在釉质上更容易达到温润的感觉（图1-18），而实用器则往往达不到温润的感觉。由此可见，颜色釉瓷器不仅仅是一种视觉的艺术，更是一种感触艺术，通过触摸给人美感。

图1-18　釉质温润的青瓷标本·宋代

图1-17　略有粗涩感的青瓷碟·明代

第四节 功 能

中国古代颜色釉瓷器在功能上的特征十分明确，主要分为实用和非实用器两种：

实用器皿在功能上十分明确，主要以实用为主（图1-19），兼具陈设、装饰、把玩的功能。实用与装饰功能结合的紧密程度主要是根据器物具体的功能不同而有所变化，如青瓷、白瓷、黑瓷、黄釉瓷器等传统颜色釉瓷器都是属于这种类型。其实这类瓷器不仅仅在传统色釉瓷器中有见，景德镇官窑烧造的大部分颜色釉瓷器品种也都具有实用与装饰结合得功能，只不过是结合得比较紧密而已。如明代的茄皮紫釉等，清代的郎窑红、天蓝釉等都是这样。

非实用的颜色釉瓷器，主要是以装饰为主（图1-20），讲究的是唯美性。该类型瓷器以低温釉为显著特征，如孔雀绿釉的大多数器皿都是这种功能。不过色釉瓷器在功能上的特征并非一成不变，可以说不同时代和窑口的色釉瓷器在具体特征上都有有所不同。本书试析了不同条件下的色釉瓷器功能，相信会对读者有所帮助。

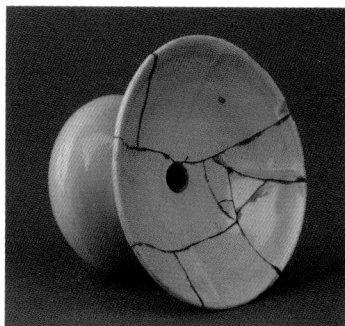

图1-20 白瓷唾壶·唐代

图1-19 实用兔毫釉盏标本·元代

第二章 胎 质

图 2-1 青灰胎"类汝似钧"青瓷标本·宋代

第一节 胎 色

一、青色胎

1. 青灰胎

　　青灰胎的颜色釉瓷器时常有见（图 2-1），墓葬、遗址、传世品之中都有见，从总量上看有一定的量。主要以传统颜色釉瓷器为多见，如钧红釉、天青釉、月白、粉青、梅子青等釉色中为常见（图 2-2），从与整个颜色釉瓷器在胎色上的比例关系来看，青灰胎占有重要的地位，显然是颜色釉瓷器在胎色上的主流之一。

图 2-2 青灰胎天蓝釉标本·宋代

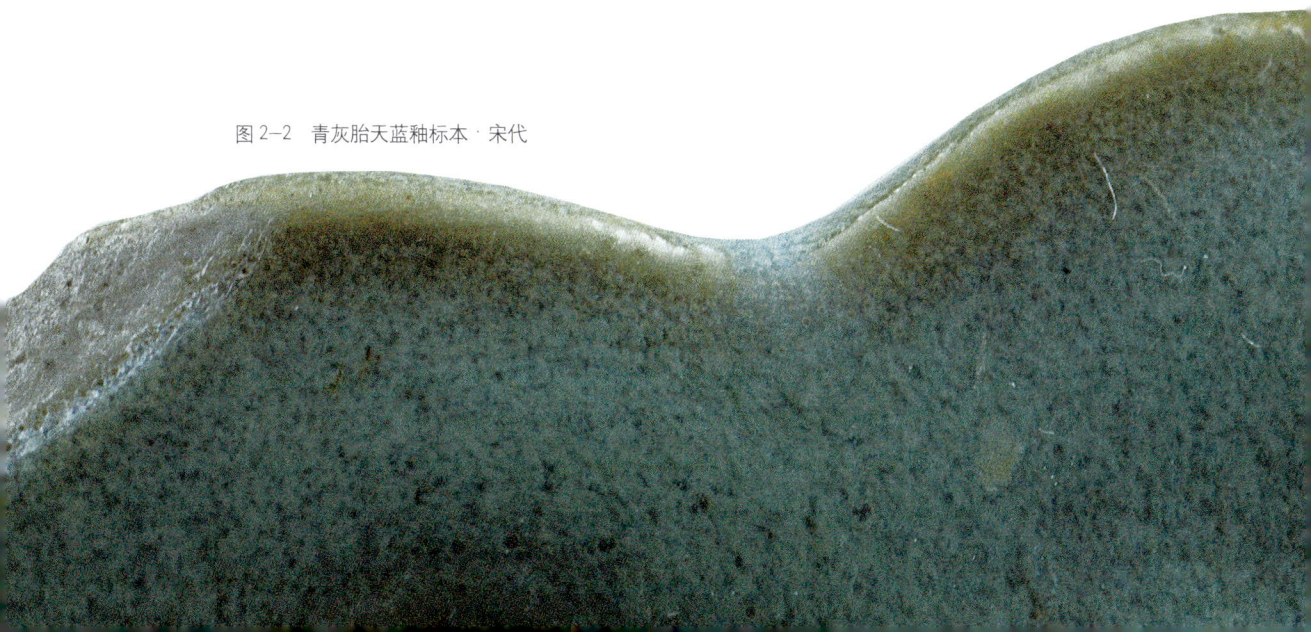

图 2-3 精致青灰胎"类汝似钧"釉标本·宋代

青灰胎的胎色从概念上看并不复杂，青色与灰色胎体在色彩上相互交融，色彩已变得十分稳定。由此可见，青灰胎已是一种完全成熟的色彩，以一种独立单色类别在颜色釉瓷器胎体之上广泛存在，在原料的使用上显然采用的都是高岭土料。青灰胎在时代特征上特征不是很明显，各个历史时期都有见，但相比较而言，以宋、金、元时期多见。青灰胎的颜色釉瓷器在精致程度上特征比较明显，所对应的颜色釉瓷器，精致、普通、粗糙者都有见（图 2-3），而且从数量上看基本上具有均衡性的特征。

2. 铁青胎

铁青胎的颜色釉瓷器较为常见(图2-4)，墓葬和遗址都有见出土。从总量上看，铁青胎的钧窑在数量上规模比较大，为颜色釉瓷器胎体的重要色彩之一。铁青胎顾名思义就是像铁青一样的色彩，比较稳定，无偏色和串色现象。从原料上看，铁青的胎体在原料的使用上自然被限定在高岭土的范畴之内。铁青胎的颜色釉瓷器在时代特征上不是很明显，各个时代都有，相对而言在宋代比较常见，数量最多，金代和元代在数量上有减少的倾向。从窑口上看不是很明显，诸多窑口都烧制过铁青胎的颜色釉瓷器。在精致程度上特征尤为明晰，铁青胎所对应的颜色釉瓷器中，精致、普通、粗糙的器皿都有见。

图 2-4 铁青胎青釉瓷器标本·宋代

图 2-5 洁白胎红釉瓷瓶·清代

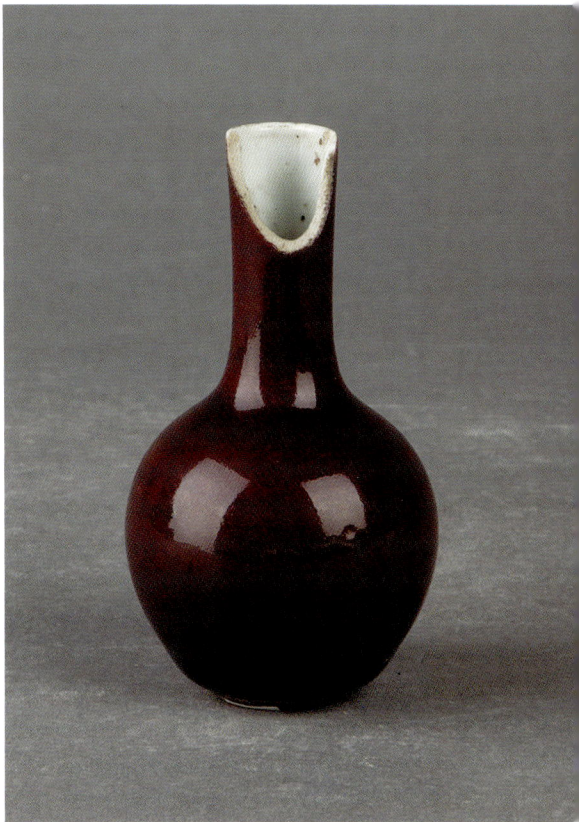

二、白 胎

1. 洁白胎

洁白胎的颜色釉瓷器从数量上看非常普遍（图 2-5），显然是颜色釉瓷器在胎体特征上的主流，墓葬和遗址、传世品种都常见。洁白胎在类别上属单色范畴，具有相当的稳定性，完全是一种独立的色彩（图 2-6）。从实物观测来看基本纯净，但绝不是像白版一样，而只是一种视觉上的盛宴。洁白胎颜色釉瓷器在造型上十分普遍，碗、灯、胡人、炉、鹿、托子、熏炉、羊、盏、注、执壶等都有见。颜色釉瓷器在精致程度上通常分为精致、普通、粗质，洁白胎显然属于较为精致的颜色釉瓷器（图 2-7），色彩大多洁白无暇。

图 2-6 洁白胎青白釉瓷器标本·宋代

图 2-7 精致洁白胎茄皮紫釉瓷器·清代

2. 白胎泛灰

颜色釉瓷器白胎泛灰的贯穿于整个颜色釉瓷器时代，从总量上来看规模比较大，成为颜色釉瓷器在胎色上的重要特点。颜色釉瓷器白胎泛灰的色彩显然属复色范畴，白色与灰色完美地融合在一起，二者不可分离，色彩比较稳定，完全以一种独立的色彩类别在出现。白胎泛灰的颜色釉瓷器从时代上看并不复杂，各个时代都有见（图2-8），不过从数量上来看，唐宋时期的精品瓷器明显较多。白胎泛灰的胎色与颜色釉瓷器的精致程度有一定的关联。我们发现，精致颜色釉瓷器很少在胎体上是白胎泛灰情况；白胎泛灰的颜色釉瓷器以普通瓷器为多见，甚至是粗糙的颜色釉瓷器也经常有见。

3. 白褐胎

白褐胎的颜色釉瓷器在数量上也是常有见（图2-9）。种种迹象显示，白褐胎的颜色釉瓷器有扎堆出土的情况，这种原因可能与其出自同一个窑口有关。从历史上看，这种白褐胎的胎色多为地方小窑生产为主。不过从总量上看，白褐胎的颜色釉瓷器依然不是很丰富。白褐胎色

图2-9 白褐胎青瓷标本·宋代

图2-8 白胎泛灰青瓷标本·宋代

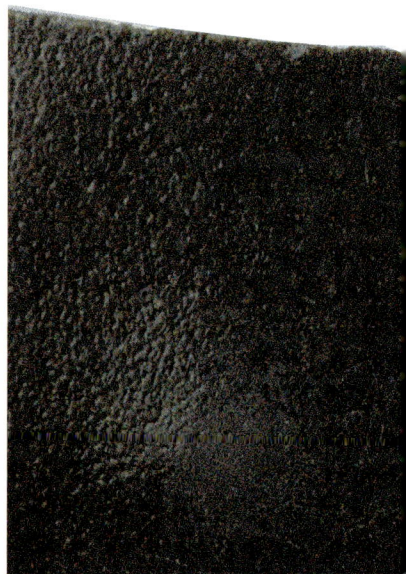

显然是一种标准的复合色彩，白色与褐色相互融合在一起，结合是完美的。由此可见，所谓的白褐胎同样也是视觉上的盛宴。颜色釉瓷器白褐胎在时代特征上明显，主要以早期瓷器为主，明清时期已很少见到。白褐胎的瓷器在精致程度上所有表现，与过于精致的颜色釉瓷器无缘，主要是一些较为粗糙的器皿之上常见。

4. 白胎泛黄

白胎泛黄的颜色釉瓷器常见（图 2-10），从总量上看不大，只是白胎衍生色彩的一种而已。白胎泛黄的胎色在色彩类别上显然属于复色的范畴，即白色与黄色以最完美的方式融合在了一起。从稳定性上看，白胎泛黄的胎体在色彩上比较稳定，串色、偏色的现象比较少见。白胎泛黄的颜色釉瓷器各个时代和历史时期都有见（图 2-11），但以民窑为主，景德镇官窑生产的颜色釉瓷器中很少见到。白胎泛黄的颜色釉瓷器在精致程度上具有相当的复杂性特征，一般情况下白胎泛黄的颜色釉瓷器在精致程度上不是很好，以普通甚至是粗糙的瓷器为常见。但从窑口上看，即使著名的景德镇官窑也很少见，主要以民窑为主。

图 2-11 白胎泛黄褐釉瓷盒盖·宋代

图 2-10 白胎泛黄褐釉瓷盒·宋代

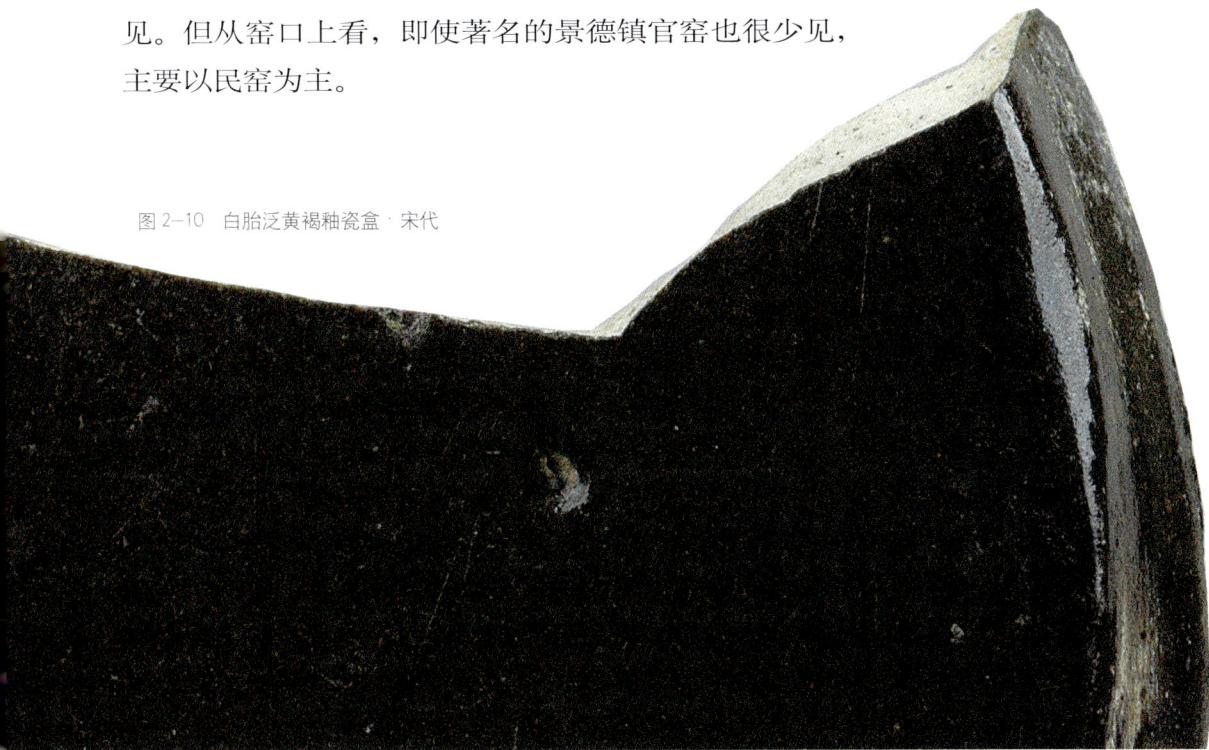

三、橙色胎

　　橙色胎的颜色釉瓷器有见（图2-12），从总量上看，橙色胎的数量也是极少。在色彩类别上显然属于单色范畴，因为橙色胎体在色彩上已经是相当的纯正，不存在串色的现象，这种胎色在色彩上比较稳定。不过所谓的橙色胎在色彩上与真正意义上的橙色也有区别，其超强的稳定性主要是指其自身在胎体上的"自圆其说"，而并非是与色彩学上橙色。在时代上特征不是很明显，各个历史时期都有见。从窑口上看，特征不是很明显，以非景德镇窑为显著特征。从器物造型上看，橙色胎体可以存在于任何颜色釉瓷器之上，但实际情况显然不是这样。在精致程度上特征不是很明显，精致、普通、粗糙的情况都有见。

图2-12　橙黄胎绿釉瓷香炉·元代

四、褐胎

褐胎的颜色釉瓷器有见（图2-13），不过从数量上看显然不是主流，墓葬和遗址、传世中都有见。在胎色上具有鲜明的特征，显然属于单色范畴，根据其色彩浓淡程度不同可以分为浅褐和深褐。从稳定程度上看，无论是浅褐还是深褐的胎体在色彩上都比较稳定。褐胎的颜色釉瓷器具有鲜明的时代特征，明清以前比较常见（图2-14），无论是越窑青瓷，还是邢定白瓷在胎体上或多或少都有见，但在明清时期景德镇窑以其白皙的胎料取胜，似乎形成了一种新的传统，将褐色胎体等诸多传统胎色抛弃，只是乡村级窑场还有见。从品类上看，绞胎釉、哥釉等色釉瓷器中绞胎中有见；哥釉中几乎不见；钧红釉、油滴釉、兔毫釉、天青釉等瓷器之上很少见；紫釉、褐釉、酱釉等色釉瓷器中常见（图2-15）；粉青、梅子青、黄釉、绿釉等瓷器中有见；矾红釉、茶叶末釉、茄皮紫釉、甜白、郎窑红、豇豆红、仿哥釉等不见；仿汝釉、仿官釉、乌金釉、珊瑚红、胭脂水釉等色釉瓷器中也很少见。由此可见，褐釉瓷器精致程度以及各种特征必须是在品类的限定下存在，因为有的品类的色釉瓷器本身就不存在褐色胎体。

图2-13 褐胎黑釉瓷灯·明代

图2-14 褐胎紫釉瓷灯·清代

图2-15 褐胎酱釉瓷壶·金代

五、红　胎

　　颜色釉瓷器并没有鲜红色版一样的胎色，红胎是所有与红有关色调的统称。从这个概念上看颜色釉瓷器红胎者很多，墓葬、遗址、传世品当中都有见（图 2-16），但墓葬当中并没有红胎的颜色釉瓷器数量较多，主要以遗址和墓葬的出土为主（图 2-17）。从总量上看有一定的量。但这个量多限定在特定的时代和窑口以及品类之上，如景德镇窑生产的颜色釉瓷器之上就很少见到红胎系列的产品。实际上，明清时期的窑场在颜色釉的生产上基本上是以洁白胎为主（图 2-18），其他杂色的胎体很少见。主要以明清以前为主，如宋代红胎颜色釉瓷器的数量就很多，如橙红、红褐、砖红等，辽金时期也很常见，下面我们具体来看一看。

图 2-16　橙红胎孔雀绿釉标本·宋代

图 2-17　砖红胎绿釉标本·宋代

图 2-18　洁白胎红釉瓷器标本·清代

1. 红褐胎

红褐胎的颜色釉瓷器有见（图2-19），不过从数量上看并不丰富，在一些墓葬和遗址出土的少量红褐胎颜色釉瓷器，从件数特征上看多为1到数件。可见，红褐胎的颜色釉瓷器在总量上显然不多，仅是颜色釉瓷器胎体的一种色彩而已。红褐胎在色彩类别上显然为复色，为红色与褐色完美地复合在一起，红中有褐，褐中泛红，在色彩上基本上没有特别偏重的成分。从稳定程度上看，红褐色的颜色釉瓷器胎体从标本横截面上看多数通体一色，偏色和串色的情况很少，显然在颜色釉瓷器上已经形成了一种独立的色彩类别。红褐胎在时代上有其一定的复杂性，从理论上讲，各个时代应该都有，但事实上明清时期红褐胎的颜色釉瓷器在数量上就很有限，以早期颜色釉瓷器为主（图2-20）。隋唐五代时期就有见这种红褐色胎体的颜色釉瓷器，在白瓷、黄釉、绞胎等上都有见（图2-21），但从比例关系上看其数量不是很多。而在宋代红褐胎的颜色釉瓷器的确是达到了其自身的兴盛期，如定窑白瓷中有相当多都是红褐胎。金元时期基本延续了这一特征。从精致程度上看，红褐胎颜色釉在精致程度上表现不是很好，与过于精致的颜色釉瓷器无缘，多数是普通、甚至粗糙的颜色釉瓷器。从色彩类别上看，钧红釉、油滴釉、兔毫釉、天青釉、月白釉等常见；紫釉、褐釉、酱釉等最为常见；粉青、梅子青、黄釉、绿釉等很少见；景德镇窑烧造的矾红釉、茶叶末釉、茄皮紫釉、甜白、郎窑红、豇豆红、仿哥釉等不见。

图2-19 红褐胎孔雀绿釉兽足·宋代

图2-20 红褐胎绿釉兽足标本·宋代

图2-21 白、红褐绞胎瓷器标本·唐代

图 2-22　砖红胎绿釉瓷器标本·宋代

2.砖红胎

砖红胎的颜色釉瓷器经常有见（图2-22），墓葬和遗址中多有出土，从件数特征上看，多为1～2件，在总量上并不丰富。从概念上看，砖红胎的胎体比较好理解，顾名思义就是像砖头一的红色胎体，在色彩类别上介于单色和复色之间，因为砖红在色彩上偏色的情况还是比较严重。砖红色的胎体特别喜欢出现在具有实用功能的颜色釉瓷器之上，因为实用器皿只要未影响到其实用价值，又可以降低成本，自然会被选择。正是由于这样，诸多的小窑场多有生产。砖红胎颜色釉瓷器存在的时代特征比较清晰，可以分为两个阶段：明清以前为一个阶段，明清时期为一个阶段。隋唐五代时期有见（图2-23），宋代数量开始增多，金代、元明清时期都有见。特别是金元明时期在数量上达到了一个新高。而明清时期则到了极为弱化的程度，景德镇窑中基本不见。从精致程度上看，砖红胎的颜色釉瓷器精致瓷器中几乎不见，这与其胎体选料的严酷性有关。主要以普通和粗糙的色釉瓷器为显著特征。从品类上看，矾红釉、茶叶末釉、茄皮紫釉、甜白、郎窑红、豇豆红、仿哥釉等景德镇窑烧造的色釉瓷器中基本不见。

图 2-23　近砖红胎龙首·唐代

3. 紫红胎

紫红胎的颜色釉瓷器有见（图2-24），不过从数量上看也是比较少，这与红色诸胎体在数量上的特征是一致的，墓葬和遗址中出土多见为1~2件，总量有限。紫红胎的颜色釉瓷器在概念上比较清晰，顾名思义紫色与红色融合而成的胎色，在色彩类别上显然属于复色的范畴。从色彩稳定程度上看，紫是与红色融合的程度，以及色彩最终整体呈现给人们的色彩，基本上都是相同的，所以紫红胎的色彩显然已经是一种极为成熟的色彩。紫红胎的颜色釉瓷器具有鲜明的时代特征，以唐代颜色釉瓷器中为多见，宋元延续（图2-25），明清时期基本抛弃这种观念。紫红胎的颜色釉瓷器精致程度上特征也是比较明确，与过于精致的瓷器无缘，特别是与官窑瓷器，这一点不管是明清官窑还是宋代官窑都是这样，以普通瓷器为主，粗糙的瓷器也很少见。从品类上看，主要以传统的青、黑、白、酱、褐、紫等釉色为常见，仿汝釉、仿官釉、乌金釉、珊瑚红、胭脂水釉等釉色当中很少见。

图2-25 紫红胎孔雀绿釉瓷器标本·宋代

图2-24 紫红胎孔雀绿釉标本·宋代

图 2-26　橙黄胎白瓷标本·唐代

图 2-27　黄白胎釉里红瓷器标本·元代

图 2-28　黄白胎黄釉瓷器标本·明代

六、黄　胎

颜色釉瓷器中也经常可以见到黄胎为基调的胎体，墓葬和遗址当中都有见出土。从件数特征上看，墓葬出土多以几件为主（图 2-26），遗址出土数量多一些。从总量上看有一定规模，但总的来看不占主流地位。黄胎颜色釉瓷器在色彩类别上属单色范畴。从色彩形成的原因来看，使用的多不是高岭土烧造，而多是使用黏土来做胎。黄胎的色彩显然是笼统的，真正像色版一样黄胎的颜色釉瓷器很少见，多数是以黄色为基调的衍生性色彩。下面让我们来具体看一看颜色釉瓷器上常见的以黄色为基调的这些色彩：

1. 黄白胎

黄白胎的颜色釉瓷器有见（图 2-27），在墓葬和遗址中都有见出土，但墓葬出土的几率比较小，多数为遗址出土，在总量上有一定的量。黄白胎概念上显然属于复色的范畴，黄色与白色相互融合在一起，形成了一个新的色彩类别。但从实物观测来看，黄白胎的颜色釉瓷器胎色显然也只是一种视觉上的盛宴，黄色与白色之间已经融合得不能分出你我，并不像我们想象的那样黄与白是那样的分明。从色彩稳定性上看，黄白胎在色彩上已经相当的稳定，从胎体横截面看几乎都是通体一色，很少见到有偏色的现象，由此可见，颜色釉瓷器黄白胎完全是一种成熟的黄胎的衍生色彩。在时代特征上比较明确，以早期色釉瓷器为主（图2—28），明清时期基本不见，这主要与景德镇窑所偏重的白胎有关。黄白胎的颜色釉瓷器在精致程度上并不复杂。从品类上看，主要以紫釉、褐釉、酱釉等瓷器之上为多见，矾红釉、茶叶末釉、茄皮紫釉、甜白、郎窑红、豇豆红、仿哥釉等景德镇窑系的颜色釉瓷器中很少见。

2. 黄褐胎

黄褐胎的颜色釉瓷器较为常见（图2—29），墓葬和遗址时有出土。从总量上看，黄褐胎的颜色釉瓷器在总量上不算丰富，但在黄胎中应该算是丰富的了。黄褐胎的颜色釉瓷器在色彩上比较容易理解，为黄色与褐色的交融体。从实物观测上看，以黄胎为主，褐色为辅，形成了一种全新的色彩。从稳定性上看，黄褐胎的颜色釉瓷器胎色已经非常的成熟，黄褐胎在色彩上已经成为一个整体，很少出现偏色的情况。黄褐胎颜色釉瓷器的时代主要宋金时期为特征，明清时期很少见到。黄褐胎在精致程度上特征鲜明，与精致瓷器无缘，主要以普通颜色釉瓷器为常见。从品类上看，钧红釉、油滴釉、兔毫釉、天青釉、月白釉等器皿之上有见，但不是主流；主要以紫釉、褐釉、酱釉等瓷器之上有见（图2—30）。矾红釉、茶叶末釉、茄皮紫釉、甜白、郎窑红、豇豆红、仿哥釉等器皿之上基本不见。

图2—29　黄褐胎白瓷碗横截面·宋代

图2—30　黄褐胎酱釉瓷盒·金代

3. 土黄胎

土黄胎的颜色釉瓷器时常可见（图 2-31），基本上各个时代都有零星的发现，墓葬和遗址时见出土。从总量上看，土黄胎十分有限。土黄胎在概念上不易分辨，本身认为应该属单色范畴，顾名思义像土一样的色彩，但这种土色主要模仿黄土高原地区黄土的色彩，这样的色彩显然也不是高岭土烧造，而是用一般性的黏土烧造，以河南西部地区最为常见。从色彩稳定性上看，土黄胎在色彩稳定程度上表现相当突出，基本上和土的色彩很相近，没有偏串现象，显然在烧造上已经日臻成熟。土黄胎颜色釉瓷器在时代特征异常鲜明，以宋金时期的颜色釉瓷器为常见，以宋金时期乡村土窑烧造为显著特征。土黄胎的颜色釉瓷器在精致程度上特征十分明确，与精致瓷器无缘，甚至对于颜色釉瓷器而言普通瓷器也很少见，主要以粗糙的瓷器为显著特征。从品类上看，以油滴釉、兔毫釉、天青釉、月白釉等传统瓷色釉瓷器为显著特征，也较为多见，而郎窑红、豇豆红、仿哥釉、乌金釉、珊瑚红等名贵瓷器品种之上则很少见到。

图 2-31　土黄胎绿釉瓷器标本·宋代

图 2—32　灰白胎绿釉绞胎标本·唐代

七、灰　胎

　　灰胎的颜色釉瓷器常见（图 2—32），灰胎属于单色范畴，但显然没有真正意义上色版一样的灰色。从稳定性上看，灰胎的颜色釉瓷器在色彩稳定上很好，基本上不见灰胎偏色的现象，绝大多数通体一色，浑然天成。灰胎从时代上看特征比较清晰，以明清时期以前的色釉瓷器为显著特征。从精致程度上看，特征不是很清晰，精致、普通、粗糙者都有见。灰胎是一种复合色彩，也就是在灰色基础之上衍生出来的色彩，这样的色彩有很多种，但多数具有不成熟性，只有很少数的色彩成为独立的色彩类别，具体我们来看一看：

图 2-33 灰白胎青白瓷标本·宋代

图 2-34 灰白胎青白瓷标本·宋代

1. 灰白胎

灰白胎的颜色釉瓷器经常能够看到（图 2-33），诸多墓葬和遗址都出土了这样颜色釉瓷器。从件数特征上墓葬出土多在几件左右，遗址出土在件数特征上可能大一些。其总量比较大，是灰胎的颜色釉瓷器中数量最多的色彩类别。灰白胎颜色釉瓷器在胎色上比较容易理解，从色彩类别上看显然是一种复色，灰色与白色的融合体，灰白色完美地融合在一起，白有泛灰，灰中泛白。色彩比较稳定，从标本上看，胎体显然是一种比较成熟的色彩。

灰白胎颜色釉瓷器在时代特征上不具有明显特征。东汉六朝隋唐时期的瓷器之上都有见；宋元时期更为多见，如是著名的青白釉瓷器之上的主色调（图 2-34）；明清时期亦有见（图 2-35）。特别是一些仿景德镇官窑烧造的色釉瓷器，一旦在质量上下降，首先就表现在胎体之上，而在胎体之上最多的表现就是胎体不是纯白胎，而是向灰白胎演化，这种器皿从数量上看很多，从品类上看，

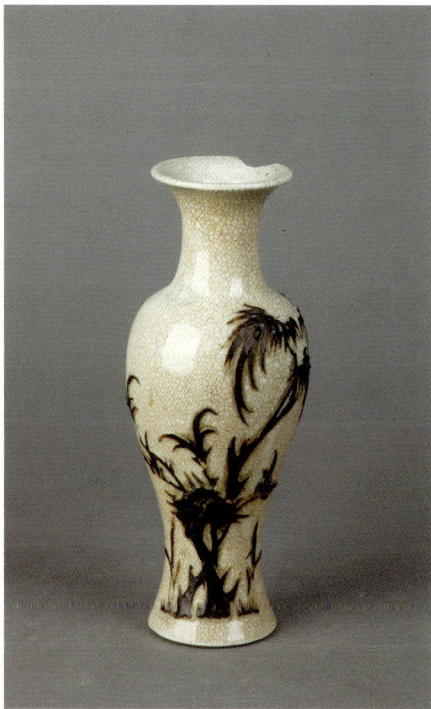

图 2-36 灰白胎仿哥釉瓷瓶·明代

图 2-35 灰白胎红釉瓷器标本·清代

如民窑仿烧的茶叶末釉、茄皮紫釉、仿哥釉等瓷器之上都有见（图2—36），而且有成为胎体主流色彩的倾向。从精致程度上看，灰白胎的颜色釉瓷器在精致程度上显然与官窑或者过于精致的瓷器无缘（图2—37），而多是一些普通的瓷器，粗糙者不多见。

2. 灰褐胎

灰褐胎的颜色釉瓷器有见（图2—38），墓葬和遗址偶见有出土，但总量很少。灰褐胎的颜色釉瓷器胎体在色彩上显然属于复合色彩的范畴，灰色和褐色交融，从稳定程度上看，灰褐与灰黑胎灰褐基本上稳定，已经成为一种独立的色彩。灰褐胎的颜色釉瓷器在时代特征上明显，明清时期基本不见，主要以明清以前的传统色釉瓷器为显著特征。如唐宋时期就比较常见，同样辽金时期也是这样。灰褐胎的颜色釉瓷器在精致程度上特点很明确，精致瓷与其显然无缘，多为普通和粗糙瓷器。从品类上看，哥釉瓷器中不见；紫釉、褐釉、酱釉等中常见；矾红釉、茶叶末釉、茄皮紫釉、甜白、郎窑红、豇豆红等瓷器中无论官、民窑基本都不见。

图2—37　灰白胎与黄褐胎相互搅动的淡黄釉绞胎瓷器标本·唐代

图2—38　灰褐胎油滴天目瓷器标本·元代

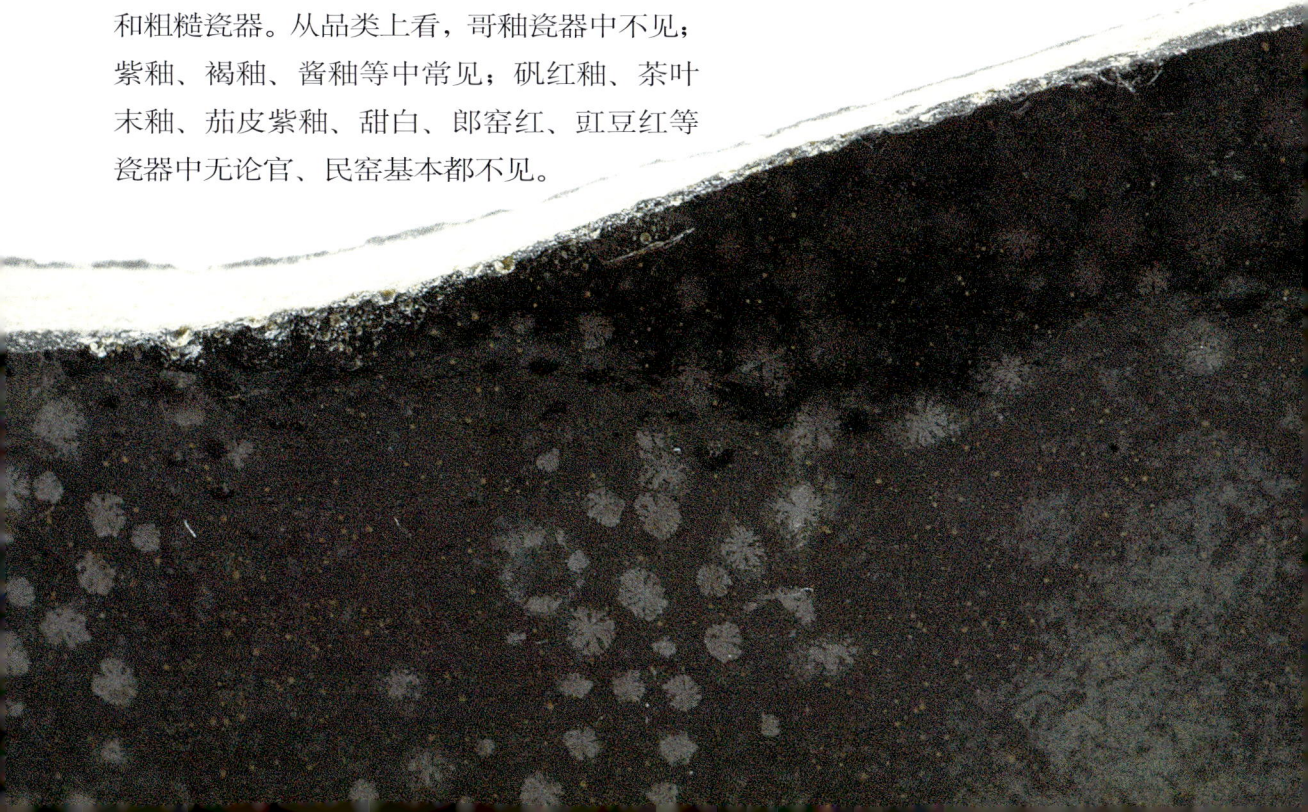

图 2-39 略粗胎黄釉瓷器标本·唐代

第二节 细部特征

一、粗 胎

颜色釉瓷器粗胎者有见，但在程度上不同，具体我们来看一下：

1. 略粗胎

这种胎体只是略微粗糙，有的时候不容易观察出来。从数量上看，略粗胎的颜色釉瓷器数量各个时代都有见（图 2-39），总量比较大。从时代上看，特征不是很明确，各个时代都有见，并且呈现出均衡化的特征。从器形上看，略粗胎的颜色釉瓷器在器物造型上特征不是很明显，各种颜色釉瓷器造型都有可能出现略粗胎的情况。从精致程度上看，略粗胎的颜色釉瓷器与过于精致的瓷器无缘，主要是以普通瓷器为主（图 2-40），粗糙的瓷器不是很常见。从官窑与民窑上看，官窑瓷器中基本不见，无论是宋代的官汝窑，还是明清时期的景德镇窑都是这样。

图 2-40 略粗胎喇叭形圈足黄釉瓷灯盏标本·唐代

图 2-41 略粗胎精美绝伦的黄釉瓷器标本·唐代

从品类上看，传统的青、黑、白等瓷器之上常见（图2-41）；钧红釉、油滴釉、兔毫釉、天青釉、月白釉等瓷器之上也是常见；但矾红釉、茶叶末釉、茄皮紫釉、甜白、郎窑红、豇豆红、仿哥釉、乌金釉、珊瑚红、胭脂水釉等官窑器皿上基本不见，而主要是以民窑仿烧的瓷器上为显著特征，在数量上占据主流地位，鉴定时我们要注意分辨。

2. 较粗胎

颜色釉瓷器较粗的胎体有见（图2-42），较粗胎的颜色釉瓷器在数量上显然比略粗胎的数量少一些，墓葬和遗址都有见出土，在总量上有一定的量。从时代上看，较粗胎的颜色釉瓷器具有鲜明的时代特征，以明清以前的色釉瓷器为显著特征，明清时期的色釉瓷器之上很少见到。从官窑与民窑上看，较粗胎与官窑瓷器基本无缘，官窑瓷器当中不见，主要以民窑瓷器为显著特征（图2-43）。明清以前的民窑瓷器当中有很多都是较粗胎者。从品类上看，较粗胎的颜色釉瓷器主要以早期的钧红釉、油滴釉、兔毫釉、天青釉、月白釉、紫釉、褐釉、酱釉、粉青、梅子青、黄釉、绿釉等为显著特征，矾红釉、茶叶末釉、茄皮紫釉、甜白、郎窑红、豇豆红、仿哥釉、仿汝釉、仿官釉、乌金釉、珊瑚红、胭脂水釉等明清色釉瓷器，即使民窑仿器当中也不见，这一点我们在鉴定中应注意分辨。从精致程度上看，较粗胎的颜色釉瓷器与精致瓷器无缘，基本上是普通和粗糙者。

图2-42 较粗胎黄釉瓷器标本·唐代

图2-43 较粗胎黄釉瓷器标本·唐代

图 2-44　粗胎钧瓷标本·宋代

图 2-45　粗胎黄釉瓷器标本·唐代

3. 粗　胎

粗胎的概念十分明确，就是胎体疏松、杂质明显、胎釉有剥落现象、胎体有变形等现象明朗化，非常的明显（图2-44）。从数量上看，粗胎在数量上较之略粗和较粗的胎体进一步减少，因为颜色釉瓷器毕竟是一种集聚实用与装饰价值的瓷器，所以还是要在一定程度上讲究精细程度的。对于真正的粗胎而言，颜色釉瓷器中有见，但一般来讲数量很少。从时代上看，明清时期的颜色釉瓷器上基本不见，而主要以明清以前传统的青、白、黑、褐等色釉瓷器之上为常见（图2-45）。从窑口上看，景德镇窑烧造的色釉瓷器不见，主要以传统的窑场烧造瓷器为主。从官窑与民窑上看，官窑瓷器不见，主要以民窑瓷器为显著特征。从精致程度上看，与精致和普通瓷器无缘，主要是以粗糙的色釉瓷器为显著特征。

图 2-46　较细胎精美绝伦的黄釉瓷寿桃·明代

图 2-48　较细胎青白釉瓷器标本·宋代

二、细　胎

1. 较细胎

　　较细胎的颜色釉瓷器较为常见（图 2-46），墓葬和遗址常见出土。从出土件数上看，多以墓葬出土为主（图 2-47），一般情况下以几件为多，遗址出土比例不如墓葬，但从总量上看数量还是比较大。从概念上看，颜色釉瓷器较细胎比较容易理解，就是胎体比较细腻，但与细胎还有一定差距的胎体。从时代上看，这类胎体没有过于明显的时代特征，各个历史时期基本上都有见（图 2-48），明清时期以及明清以前的色釉瓷器之上都有见。从官窑与民窑上看，官窑瓷器当中基本不见，宋代官窑和明清景德镇官窑都是这样，主要以历代的民窑为显著特征。

图 2-47　较细胎孔雀绿釉镇墓兽·明代

从品类上看，较细胎的颜色釉瓷器特征较为模糊，各色品种上都有见（图2—49），如哥釉、兔毫釉、天青釉、月白釉、褐釉、粉青、梅子青、黄釉、绿釉等瓷器上都有见。从精细程度上看，精致、普通的瓷器都有见（图2—50），粗糙的瓷器之上基本不见。

2. 细 腻

细腻胎体是颜色釉瓷器的主流（图2—51），这是无疑的，无论从时代、窑口、品类上看都是这样。胎质细腻指的显然就是细胎，胎质的各项指标都非常之好，细胎基本上没有明显的缺陷，从原料选择、淘洗、致密程度、匀净程度、胎色稳定性等各个方面都是一流的。从数量上看，细胎的颜色釉瓷器经常有见（图2—52），墓葬和遗址都有出土，在总量上有一定的量。从时代上看，细胎的颜色釉瓷器在时代上不是很明显，明清时期的颜色釉瓷器是以细腻为主（图2—53），明清以前的色釉瓷器也是以细腻为主。

图2—49 较细胎耀州窑花卉纹青瓷标本·宋代

图2—50 较细胎哥窑瓷器标本·宋代

图2—51 细腻胎体青釉瓷器·清代

图2—52 胎质细腻的青瓷标本·宋代

图2—53 胎体洁白细腻的黄釉瓷碟·清代

图 2-55　胎体细腻的钧红釉标本·宋代

图 2-54　细腻的胎体红釉瓷器标本·清代

图 2-56　胎体细腻的豆青釉瓷标本·宋代

　　从官窑和民窑上看，官窑显然是以细腻胎体为主（图2-54），而民窑当中则表现的比较复杂，有见胎体细腻者，但更多是略有些问题的情况。从品类上看，钧红釉、油滴釉、兔毫釉、天青釉、月白釉等传统的色釉瓷器细腻胎体者有见（图2-55），但细腻胎体显然占据不到主流地位，而矾红釉、茶叶末釉、茄皮紫釉、甜白、郎窑红、豇豆红、仿哥釉等景德镇官窑瓷器基本上以细腻胎体为主（图2-56），而非官窑制品在胎体的细腻程度上则常常会出现问题。

图 2-57 胎体细腻的香灰胎 "类汝似钧" 釉瓷器标本·宋代

图 2-58 洁白胎青白瓷底足标本·宋代

图 2-59 精细香灰胎 "类汝似钧" 釉瓷器标本·宋代

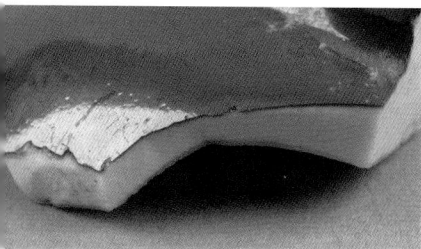

图 2-60 精细洁白胎紫釉标本·清代

　　从精致程度上看，细腻胎的颜色釉瓷器与精致程度的关系密切，精致瓷器基本对应的是细腻胎，但并不是说所有的细腻胎体都是精致瓷器，而与普通瓷器的关系则是逐渐减少，与粗糙瓷器基本上无缘。从色彩上看，中国古代颜色釉瓷器在胎色上有两种胎色是主流，一是香灰胎（图 2-57），二是洁白胎（图 2-58）。

　　这两种胎色有一个共同之处就是都是官窑所推崇的，但不是同一个时期。香灰胎的瓷器是宋代官窑和汝窑所推崇的色彩，汝窑瓷器基本上都是香灰胎，以香灰胎体为美，官窑瓷器与汝窑相类，包括南宋官窑也是这样，同时期有很多颜色釉瓷器也是仿香灰胎色，如类汝似均釉最高境界显然是模仿香灰胎色等（图 2-59），可以说在宋元时期是最为高贵的色彩。但这种高贵在明清时期逐渐被洁白胎所代替，以景德镇窑为显著特征。景德镇窑所生产的种类繁多，数以百种珍贵宫廷色釉瓷器，茶叶末釉、茄皮紫釉、甜白、郎窑红、豇豆红、仿哥釉、仿汝釉、仿官釉、乌金釉等基本上胎体都是洁白胎（图 2-60）。而且景德镇窑所烧造的青花瓷等都是这样，从此白胎成为人们心目中瓷器胎体最应该有的色彩，而这两种色彩我们在鉴定时要注意分辨。

三、厚 胎

1.略厚胎

略厚胎的颜色釉瓷器胎体常见（图2-61），墓葬和遗址常有出土，遗址出土数量可能还有更多一些，数十上百件的情况都有见。由此可见，略厚胎的颜色釉瓷器在总量上十分丰富。从概念上看，颜色釉瓷器略厚胎比较容易理解，显然是指胎体只是稍微有些厚。从时代上看，略厚胎在时代特征上明晰，主要以早期色釉瓷器为多见，明清时期显然不是色釉瓷器的主流。相比较而言，略厚胎的颜色釉瓷器在唐宋时期较多（图2-62）。从精致程度上看，略厚胎的颜色釉瓷器在精致程度上的情况是精致、普通、粗糙者都有见，但在时代和窑口上风格有些区别。如时代主要局限在明清以前，而窑口也是明清以前的窑口，景德镇窑基本上很少见到略厚胎的颜色釉瓷器。从官窑与民窑上看，特征不是很明确，主要是以时代为限定。如果宋代官窑则是以略厚胎为显著特征；但如果是在明清时期的景德镇窑显然不是这样。从品类上看，前期的钧红釉、油滴釉、兔毫釉、天青釉、月白釉、紫釉、褐釉、酱釉、粉青、梅子青、黄釉、绿釉等基本上都是以略厚胎为显著特征；而矾红釉、茶叶末釉、茄皮紫釉、甜白、郎窑红、豇豆红、仿哥釉等色釉瓷器则很少见略厚的情况（图2-63）。

图2-61 略厚胎仿哥釉瓶·明代

图2-62 紫釉瓷瓶·清代

图2-63 略厚胎茄皮紫釉标本·清代

图 2-64 较厚胎哥釉瓷器标本·宋代

图 2-65 较厚胎青瓷标本·宋代

2.较厚胎

较厚胎的颜色釉瓷器胎体常见（图2-64），墓葬和遗址常有出土，遗址出土数量可能还有更多一些，数十上百件的情况都有见，但传世中很少见。由此可见，较厚胎的颜色釉瓷器在总量上有一定的量。从概念上看，颜色釉瓷器较厚胎比较容易理解，显然是指胎体只有一定的厚度，起码从视觉上可以很明显地感觉到。从时代上看，较厚胎在时代特征上明晰，主要以早期色釉瓷器为多见，明清时期色釉瓷器上基本不见。从精致程度上看，较厚胎的颜色釉瓷器在精致程度上的情况是精致、普通、粗糙者都有见（图2-65），但在时代和窑口上风格有些区别。如时代，主要局限在明清以前，而窑口也是明清以前的窑口；景德镇窑基本上不见较厚胎的色釉瓷。从官窑与民窑上看特征不是很明确，无论明清官窑还是宋代都很少见。从品类上看，早期色釉瓷器如钧红釉、油滴釉、兔毫釉、天青釉等有见（图2-66），但明清时期的矾红釉、茶叶末釉、茄皮紫釉、甜白、郎窑红、豇豆红、仿哥釉等色釉瓷器很少见。

图 2-66 较厚胎绞胎瓷器标本·唐代

图 2-67　厚重胎青瓷标本·宋代

3. 厚重胎

厚重胎的颜色釉瓷器不是很常见（图 2-67），墓葬和遗址有出土，但在总量上十分有限。从概念上看，颜色釉瓷器厚重胎比较容易理解，显然是指胎体非常的厚重。从时代上看，厚重胎有着鲜明时代和窑口特征，主要以宋元时期的钧瓷为显著特征（图 2-68），其他时代和窑口很少见有厚重胎体的现象。从精致程度上看，厚重胎的颜色釉瓷器在精致程度上的情况是精致、普通、粗糙者都有见。从官窑与民窑上看，以民窑为显著特征，官窑不见。

图 2-68　厚重胎体天蓝釉钧瓷碗·元代

图 2-69 较薄胎汝瓷花口杯 · 当代仿宋

四、薄 胎

1. 较薄胎

　　较薄胎的颜色釉瓷器比较容易理解，就是说胎体较薄但还未达到薄胎的程度。从概念上看，较薄胎颜色釉瓷器并不能完全从尺寸上去理解，是一场视觉的盛宴。从数量上看，颜色釉瓷器较薄胎从数量上看最为常见（图 2-69），墓葬、遗址、传世品中都有见，从总量上看十分丰富，规模巨大，是颜色釉瓷器的主流。从时代上看，较薄胎的颜色釉瓷器时代特征不是很明显，各个历史时期都有见（图 2-70）。唐代较薄胎的颜色釉瓷器略少；宋代急剧增加；辽金时期也是主流；元代胎体略厚一些；明清时期较薄胎的颜色釉瓷器最为鼎盛。从品类上看，茶叶末釉、茄皮紫釉、甜白、郎窑红、豇豆红、仿哥釉、仿汝釉、仿官釉、乌金釉、珊瑚红、胭脂水釉等瓷器，无论是宫廷用器，还是民窑仿烧的产品，在胎体上基本上都是较薄胎。从精致程度上看，以精致最为多见，普通和粗糙的瓷器不是很常见（图 2-71）。

图 2-71　精致较薄胎青瓷弦纹标本·宋代

图 2-72　薄胎耀州窑花卉纹青瓷标本·宋代

2. 薄　胎

薄胎的颜色釉瓷器有见（图 2-72），在墓葬和遗址当中有出土，从件数特征上看大多以 1 件为主，从总量上看较少，显然不是颜色釉瓷器的主流。从时代上看，薄胎的颜色釉瓷器在时代上不是很明显，基本上处于偶见的状态。从窑口、品类等特征上看，基本也都是处于偶见的状态。

图 2-70　较薄胎青白釉瓷器标本·宋代

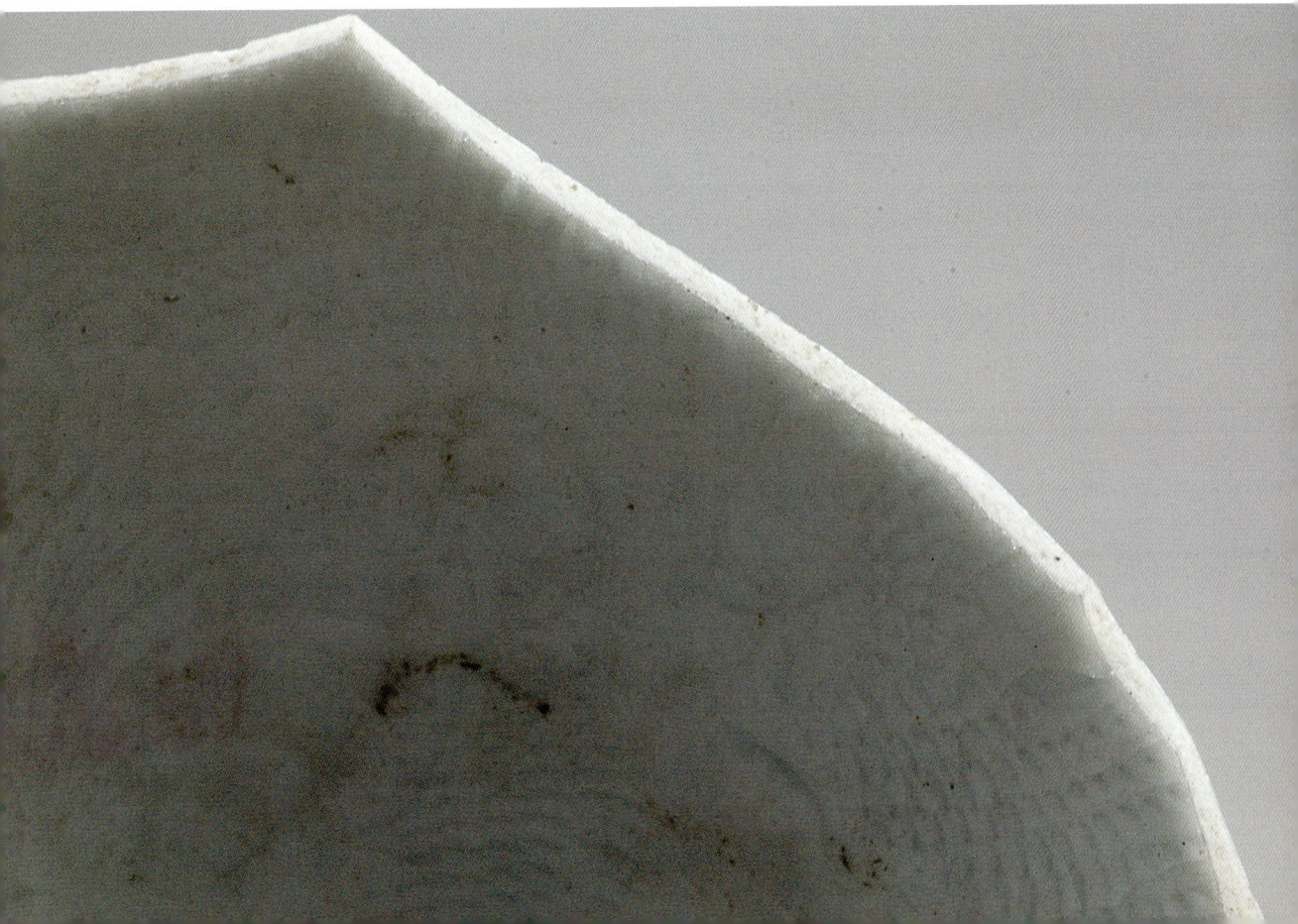

图 2-73　造型规整的蓝釉瓷碗·清代

五、规　整

　　颜色釉瓷器胎体规整的情况比较普遍（图 2-73），从墓葬和遗址出土的器物上很容易可以看到这一点，从件数特征上看非常之多，总量巨大，可见胎体规整是颜色釉瓷器最为主流的特征。规整是指颜色釉瓷器胎体规整的程度，而胎体在规整程度上的优劣又直接影响着其在整体造型上的规整性。颜色釉瓷器胎体通常在规整性上都比较好，基本上很少见到胎体厚薄不一的情况，也很少见到歪斜的胎体。不过，由此可见，颜色釉瓷器胎体在规整程度上实际上是一个造型上的概念，但这个造型却与胎体的用料、致密程度、瓷化程度等密切相关。

从时代上看，颜色釉瓷器在规整程度上没有过于规律性的特征，各个时代都有见，是主流（图2-74）。从精致程度上看也是这样，精致、普通、粗糙的瓷器都有见。从品类上看也是这样，绞胎釉、三彩釉、哥釉、钧红釉、油滴釉、兔毫釉、天青釉、月白釉、紫釉、褐釉、酱釉、天蓝、酒蓝、孔雀绿釉、粉青、梅子青、黄釉、绿釉、矾红釉、茶叶末釉、茄皮紫釉、甜白、郎窑红、豇豆红、仿哥釉、仿汝釉、仿官釉、仿竹器、炉钧釉、乌金釉、珊瑚红、胭脂水、仿漆器等色釉瓷器之上，胎体基本都是规整（图2-75）。从官窑和民窑上看，无论官、民窑在胎体的规整程度上都是比较好，不规整的情况为偶见。

图2-74 造型规整的黑釉瓷瓶·明代

图2-75 造型规整的红釉瓷尊·清代

六、夹 砂

颜色釉瓷器夹砂的情况还是比较常见（图2-76），在墓葬和遗址之中都有见，从件数特征上看，墓葬出土多为1～2件，窑址内出土数量多一些，但从总量上看，夹砂的颜色釉瓷器器皿却并不丰富。这是因为夹砂胎的颜色釉瓷器多是零散分布，而且多是在一定层面上的颜色釉瓷器上流行，并不是在精致、普通、粗糙的颜色釉瓷器之上广为流行。在胎内夹砂这种做法，早在新石器时代人们就在陶胎内夹砂，显然夹砂是一种传统。从宏观上看，颜色釉瓷器夹砂的情况可以分为粗砂胎和细砂胎两种，在颜色釉瓷器中主要以细砂胎为主要特征，在颗粒上较大的粗砂胎数量比较少。从色彩上看，以黄褐色和灰白色为主要特征，其他色彩也有见（图2-77），但在几率上没有这两种色彩多。

图2-76 夹砂胎青黄釉瓷器标本·唐代

图2-77 夹砂明显的褐釉瓷器标本·金代

图 2-78 略有夹砂的红釉瓷器标本·清代

　　从造型上看，主要以实用色釉瓷器为显著特征。从时代上看，夹砂胎的色釉瓷器有着鲜明的特征，明清时期很少见，基本上以明清以前的时代为显著特征。如从品类上看，青、白、黑、绞胎釉、油滴釉、兔毫釉、天青釉、月白釉、紫釉、褐釉、酱釉等瓷器之上都有夹砂的存在，但一般情况下数量都不是很多；而明清时期的茶叶末釉、茄皮紫釉、甜白、郎窑红、豇豆红、仿哥釉、仿汝釉、仿官釉、仿竹器、炉钧釉、乌金釉、珊瑚红、胭脂水、仿漆器等（图2-78），无论是景德镇官窑还是民窑仿烧胎体之内基本不见夹砂的情况。从精致程度上看，与精致的瓷器基本无缘，主要是以普通，特别是以粗糙色釉瓷器中为多见。

七、杂　质

有杂质的颜色釉瓷器常见（图2—79），墓葬和遗址出土的标本横截面上可以清楚地看到，在总量上有一定的量。从概念上看，颜色釉瓷器胎体在杂质上特征异常复杂。从理论上讲所有的胎体应该都是有杂质的，只是有时我们的视觉观测不到，对于这样的情况我们就称之为胎体匀净；而一旦能偶然观测到杂质的存在，即使很轻微，那么显然也是有了轻微杂质。而对于观测明显的杂质，如有颗粒状、或者较为密集的情况，我们称之为严重杂质。对于颜色釉瓷器而言，胎体在杂质上的特征比较复杂，匀净、轻微、严重杂质的情况都有见，但却有着明确的时代、窑口、品类的限制。

图 2—79　杂质明显的绿釉绞胎瓷器标本·唐代

从时代上鉴定。有杂质的颜色釉瓷器在时代特征上鲜明（图2—80）。明清时期的颜色釉瓷器之上很少见；主要以明清瓷器以外的颜色釉瓷器为主。如唐宋时期的颜色釉瓷器在杂质上表现得就不是那么突出，严重杂质的情况很少见，主要以轻微杂质为多见，胎体匀净的情况也有很多；而在辽金元时期基本没有太大变化。

从窑口上鉴定。色釉瓷器胎体上的杂质情况比较明晰，官窑瓷器基本上看不到杂质（图2—81），也就是我们说的胎体匀净的情况。这一点无论是宋代的汝窑，还是南宋官窑，从出土的标本横截面上看基本上都是这样，明清时期的景德镇官窑也是这样。而主要以民窑瓷器为显著特征，在民窑瓷器当中，有是存在着各种各样的杂质的情况。

从品类上鉴定。中国古代颜色釉瓷器在胎体杂质的品类上特征明晰，钧红釉、油滴釉、兔毫釉、天青釉、月白釉等杂质有见（图2—82），而茶叶末釉、茄皮紫釉、甜白、郎窑红、豇豆红、仿哥釉等景德镇官窑器皿基本都是胎体匀净者。

另外，从精致程度上看，颜色釉瓷器在胎体杂质与精致程度上关系密切，夹砂胎基本与精致瓷器无缘（图2—83），特别是与官窑级的精致瓷器无缘。主要都是一些民窑的普通和粗糙的瓷器。

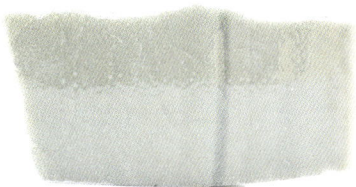

图 2—80　杂质明显的青瓷弦纹标本·宋代

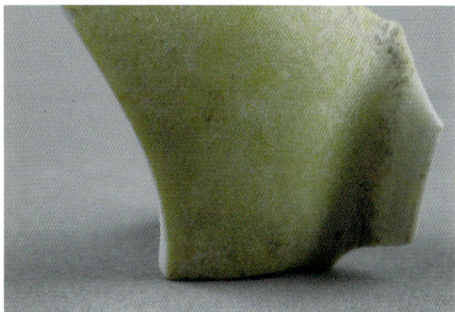

图 2—81　景德镇官窑胎体匀净的黄釉瓷器标本·清代

图 2—82　胎体微有见杂质的钧红釉瓷器标本·宋代

图 2—83　胎体洁白细腻的茄皮紫釉瓷器标本·清代

第三章　釉　质

第一节　传统釉色

一、从青釉上鉴定

1.青　釉

青釉是指纯正的青色，著名的越窑瓷碗在青色的烧造上六朝时期已至顶峰，青瓷器的色彩青翠欲滴，与自然界中的青色几乎相当，而对于自然色彩的追求是越窑青瓷的最高境界（图 3-1）。当然，现在还有不少窑场都烧造出了较为纯正的青色，但相比之下没有越窑的数量丰富。由此可见，东汉六朝时期已经可以烧制出较为纯正的青釉色彩，但从众多出土器物看，六朝瓷器并不是纯粹的青色调，而且多是以青色为主导的近亲色彩，真正纯正的青色倒不是很多。几乎所有与青釉可以交叉的色彩都出现了，可见东汉六朝在釉色上在不断地进行尝试。同样随之而来唐宋、金元时期在青瓷釉色上都达到了极高水平。

图 3-1　保留六朝越窑风格的青瓷碗·唐代

图 3-2 青褐釉瓷壶·六朝

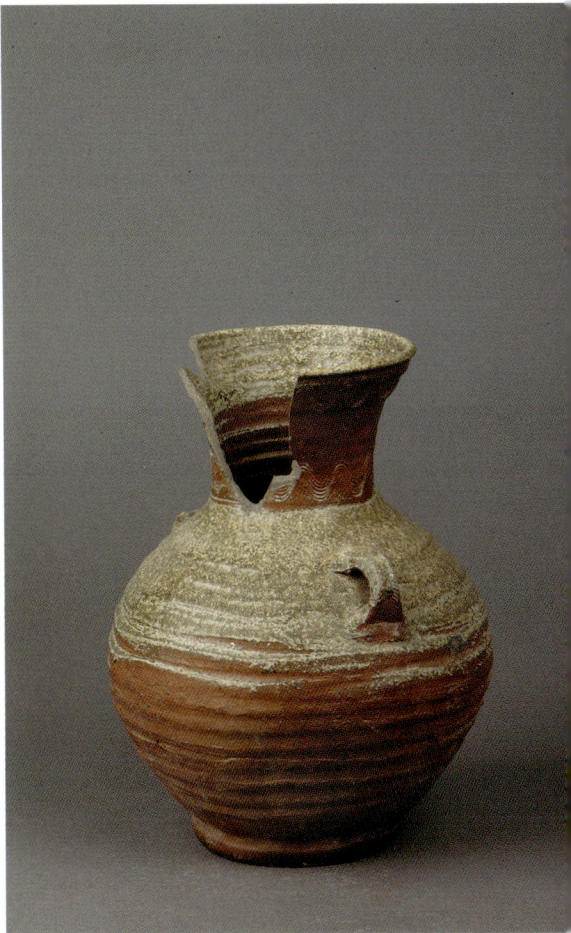

2. 青褐釉

青褐釉显然是青色的近亲色调，主导色彩是青色，但釉色在烧造的过程中却偏色渐变成为了青褐色。青褐釉的瓷器较为常见（图3-2），主要的青瓷窑口几乎都有此类釉色瓷碗。当然在最初的时候可能是由于釉料中矿物质含量的不同，以及窑内渐变所致，但随着时间的推移，很多窑口似乎并未将其作为一种缺陷，而且作为青瓷的一个品类在烧造。

3. 青黄釉

青黄釉瓷十分流行，特别是在东汉六朝时期十分流行，隋唐时期也较为流行，但总的趋势是时代越早，青黄釉的瓷器越多，而时代越晚，则反之。我们来看一则实例，"碗2件施青黄釉不及底"（南京市博物馆等，1998）。这并不是一个特殊的例子，像这样的例子在东汉六朝隋唐时期很常见（图3-3）。青黄釉瓷为中国古代青瓷之上较为流行的一种色彩。

图 3-3 青黄釉执壶·唐代

图 3-4 青灰釉瓷碗·唐代

图 3-5 青灰泛黄釉瓷碗·六朝唐初

4. 青灰釉

东汉六朝隋唐时期青灰釉数量众多（图3-4），为最流行的釉色之一，这可能是由于青灰色淡雅，光泽感不刺眼，给人们的整体感觉是较为柔和，所以不仅仅是在东汉六朝隋唐时期，而且在宋元时期也都是瓷碗上较为流行的色彩。

5. 青灰泛黄釉

东汉六朝隋唐时期青灰泛黄釉的瓷碗也是较为常见（图3-5）。东汉时期数量较少，几乎不见；六朝时期青灰泛黄釉的瓷器有见；唐代这种青灰泛黄釉的瓷碗经常可以看到。实际上这是东汉六朝隋唐时期很多瓷碗在不同程度上都呈现出略泛黄特征的表现，但这成为了中国古代青瓷，特别是唐代瓷碗在釉色上鉴定的重要依据。

6. 青灰略泛蓝釉

东汉六朝、唐宋时期青灰略泛蓝釉的瓷碗的确有见（图3-6），但数量非常之少。东汉时期由于蓝色调的碗很少见，所以青灰略泛蓝釉者几乎不见；六朝时期从理论上应该会有这类瓷器，但从发掘的情况来看，基本上很少见到泛蓝釉的瓷器，而唐代我们见到过青灰略泛蓝釉的瓷器，不过数量很少。

图3-6 青灰泛蓝釉瓷碗·宋代

7. 青灰略泛绿釉

东汉六朝隋唐时期青灰略泛绿釉瓷量不多，但时常有见（图3-7）。同样，东汉六朝时期这样的瓷器比较少，因为这种釉色实质上就是青灰釉的略微偏色形成的，而六朝时期越窑青瓷及其他窑口在色彩上追求的还是纯色，所以从整个情况来看，六朝青瓷偏色的情况比较少，特别是青灰釉偏色的情况不太多。不过唐代瓷器，特别是北方新窑场生产的青釉瓷器在色彩上往往偏色较为严重，从某种程度上讲，色彩偏的任何一种程度都是有可能的，而青灰略泛绿的釉色也偶然可以看到。我们来看一则实例"唐代瓷碗，T③d:1 釉色青灰略泛绿"（西北大学考古队，2002）。但青灰略泛绿釉的瓷器在数量上总体不多，我们在鉴定时要注意分辨。

图3-7 青灰泛绿釉瓷碗标本·唐宋之际

8. 青绿釉

青绿釉瓷也是东汉六朝隋唐时期最为流行的釉色。从瓷器库房内实物观测和发掘出土报告比对来看，青绿釉的数量相当丰富，而且不仅仅是六朝和隋唐时期常见（图3-8），宋元时期以及东汉晚期瓷碗中也十分多见。看来青绿釉是东汉六朝隋唐时期的一种时尚。

图3-8 青绿釉瓷器标本·宋代

图 3-9   青中泛黄釉瓷器标本东汉晚期

9. 青中泛黄釉

青中泛黄釉显然不是青黄釉（图 3-9），而只是青釉瓷器略微有些泛黄，而且有时是局部的。东汉六朝、唐宋时期，青中泛黄釉瓷器十分流行，很多瓷器都是青中泛黄釉。东汉晚期数量少一些；六朝时期青中泛黄釉瓷器的数量已经较为丰富，隋唐时期青中泛黄釉瓷器数量最为丰富，其流行程度不亚于其他任何一种釉色，而且影响十分深远；在宋元时期这种青中泛黄釉的瓷器数量依然丰富。

10. 豆青釉

东汉六朝、唐宋时期豆青釉瓷器有见（图 3-10），但只是偶见，数量很少，色彩也达不到纯正的豆青。看来，豆青不是东汉六朝以及隋唐时期青釉瓷器所追求的目标。

图 3-10   豆青釉青瓷盘·清代

图 3–12 玉璧足白瓷碗·唐代

图 3–11 精美绝伦的邢窑白瓷玉璧足碗·唐代

二、从白釉上鉴定

1. 纯白釉

白瓷器在隋代烧制成功，但从色彩上看纯白色彩还不多。白瓷在唐代受到人们的热捧，产生了著名的专门烧造白瓷的窑场邢窑（图3–11）。唐代邢窑烧制出了较为纯正的白瓷器，在白瓷的烧造技术上达到了顶峰，历史上少有超出者。但邢窑毕竟是一个商业性的窑场，邢窑白瓷器主要是面向各个阶层进行销售。从发掘的情况来看，既在帝王宫殿之内发现有白瓷器，也在普通的百姓墓葬当中发现有白瓷器，贫民墓葬中也发现了邢窑白瓷器。从诸多情况来看，邢窑白瓷器为了适应不同阶层的需要，烧制了精致、普通、粗质白瓷器三种（图3–12），而纯色基本上都属于精致白瓷器的范畴，普通和粗质的白瓷器中很少见到有纯正的白色。当然在唐代烧造白瓷器的窑场不仅仅是邢窑，白瓷器作为日用品，许多窑场也兼烧，但真正能与邢窑白瓷器相媲美者不多，纯白釉几乎是偶见。

图 3-14　定窑鸡骨白釉瓷碟·宋代

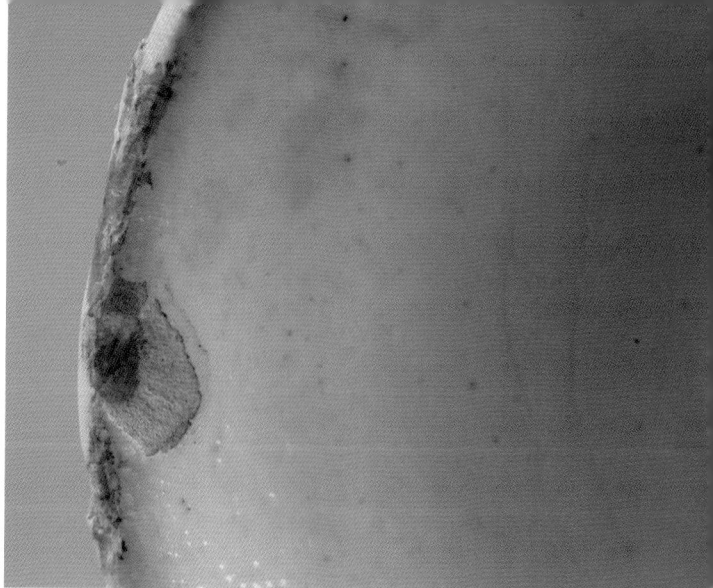

图 3-13　灰白釉瓷碗标本·五代

2. 灰白釉

灰白釉瓷器不是唐代的主流釉色，但时常也有见（图 3-13），像邢窑那样烧造白瓷的主流窑场很少见到灰白釉瓷器，多是一些小的窑场烧造的粗糙白瓷器，甚至多不是在中原地区出现，如在辽所统治的区域内常见到有灰白釉的瓷器存在。

3. 鸡骨白釉

隋唐时期鸡骨白釉瓷器比较少见。在隋代几乎不见，唐代早中期也很少见，但在唐晚期之时有见鸡骨白釉瓷器，但只是偶见。以宋代最为常见（图 3-14）。

4. 乳白釉

乳白釉瓷器在唐代数量不少，但真正乳白釉邢窑瓷器却不是很多，多是一些仿烧邢窑的瓷器，特别是唐代一些地方窑场烧造的白瓷器（图 3-15），在色彩上有很多是乳白釉。其实乳白釉并不是一种十分成熟的釉色，多伴杂着流釉的痕迹，如，河南陕县观音堂窑所烧造的瓷器就常见有乳白色的。

图 3-15　乳白釉白瓷碗·唐五时期

5. 象牙白釉

隋唐时期象牙白釉瓷器不是很多，在唐代晚期有一些象牙白的瓷器，似乎并不是邢窑白瓷器的色彩。这与唐代邢窑白瓷在色彩上所追求的纯色是一致的。唐代对于象牙白等釉色似乎不是很重视，宋代则最为流行（图3-16）。

6. 猪油白釉

唐代猪油白瓷器经常可以看到。猪油白釉是一种亮度很高的白釉（图3-17），这与唐代白釉所追求的纯色十分相似，所以猪油白釉瓷器在唐代获得了很大的发展空间。我们来看一件实例，"唐代瓷碗，釉色呈猪油白"（西北大学考古队，2002）。这并不是一个很特殊的例子，实际上在唐代有诸多这样猪油白釉的瓷器。

图3-16 象牙白釉瓷碗·宋代

图3-17 惟妙惟肖的猪油白釉瓷器标本·唐代

图 3-18 白中泛青釉瓷盒·唐代

7. 白中泛青

唐宋时期白中泛青瓷器数量很少。东汉六朝时期基本没有，唐代早中期数量也很少，只是在唐晚期有见，但主要以微泛青釉的瓷器为主（图 3-18），有白中闪青和微闪青釉瓷器等等，较为浓重的白中泛青瓷器基本不见。

三、从茶色釉上鉴定

1. 茶黄釉

东汉六朝、唐宋时期茶黄釉瓷器较为流行（图 3–19），特别在早期比较流行，在东汉晚期的瓷器中就常见有茶黄釉瓷器，六朝时期茶黄釉瓷器数量有所增加，其实茶黄釉并不像黄釉瓷器那样难以烧造，而是比较容易烧造，是直接来源于汉代原始青瓷和绿釉陶器色彩的变种。唐代茶黄釉瓷器的数量有所减少，是由于出现了真正的黄釉瓷器。

2. 茶末绿釉

东汉六朝、唐宋时期茶末绿釉瓷器有见（图 3–20），但数量不是很多。我们来看一则实例，"唐代瓷碗，Ｔ④Ａ：2 外壁施茶叶末绿色釉至底缘"（云冈石窟文物研究所，2004）。但我们在唐代并不能找到数量众多的这种茶末绿釉瓷器。在东汉和六朝时期这种茶末绿釉的瓷器基本不见。

图 3–20 茶末绿釉瓷器标本·唐代

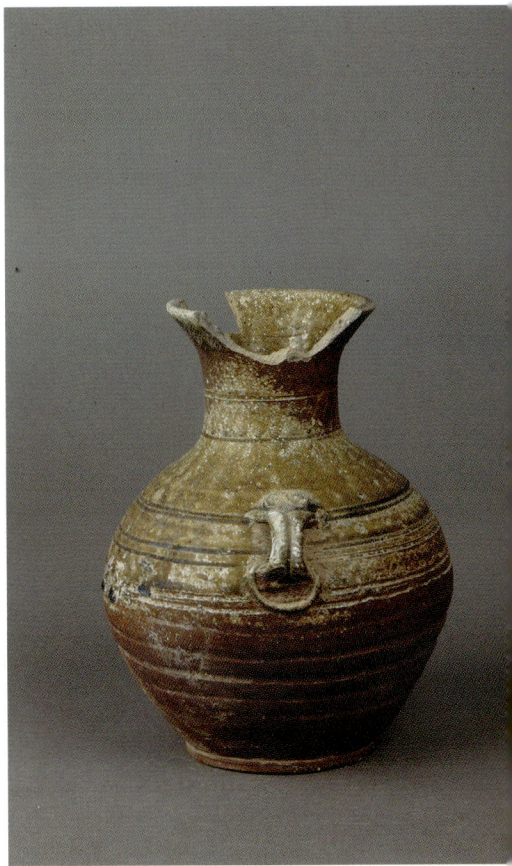

图 3–19 茶黄釉瓷壶东汉晚期

四、从黄釉上鉴定

1. 纯黄釉

东汉六朝和隋代并未产生纯正黄釉色彩，所以谈不上有纯黄釉瓷器（图 3-21）。黄釉瓷器直至唐代才烧制成功，唐代寿州窑烧制出了成熟的黄釉瓷器。纯正黄釉瓷器在这一时期也常能见到，但唐代黄釉瓷器所追求的似乎并不是纯色，而主要是以烧制蜡黄、鳝黄等为主色调的瓷器。其他窑场所烧造的黄釉瓷器基本上也是这样，纯黄的色彩少，而主要是以黄色为基调的衍生色彩。

图 3-21 寿州窑黄釉瓷器标本·唐代

2. 黄褐釉

东汉六朝、唐宋时期黄褐釉瓷器有见（图3-22），但数量不是很丰富。实际上，从釉色上看，黄褐釉色并不是十分成熟的色彩，在六朝时期也经常可以看到，唐代也有见，但真正安徽寿州窑很少见，多数为其他窑场兼烧。

图 3-22 黄褐色釉瓷瓶·唐代

图 3-23 蜡黄釉瓷碗标本·唐代

图 3-24 色泽淡雅的鳝黄釉瓷器标本·唐代

3. 蜡黄釉

东汉六朝、唐宋时期蜡黄釉瓷器十分丰富（图 3-23），蜡黄的色调使黄釉瓷器显得十分优雅，而且颜色比较深，通透性不是很强，给人的感觉是浓重黄色的感觉。蜡黄釉瓷器多精致，是安徽寿州窑的主流产品，多流行于上流社会，市井之上少见。蜡黄釉瓷器是盛唐气象的象征，流行的时代仅限于唐代，东汉六朝时期基本不见。

4. 鳝黄釉

鳝黄釉瓷器是唐代安徽寿州窑的主打产品（图 3-24）。像黄鳝皮一样的色调使许多人对于唐代黄釉记忆深刻，同样这种颜色比较深，色彩在通透性上不是很强。鳝黄釉瓷器的影响比较大，深入到了民间，在同时期有许多窑场都在烧造鳝黄釉的瓷器。

图 3-25 黄釉泛绿釉瓷器标本 · 唐代

图 3-26 姜黄釉寿州窑黄釉瓷碗标本 · 唐代

5. 黄绿釉

黄绿釉瓷器在东汉六朝、唐宋时期十分常见（图 3-25）。在当时，不仅唐代安徽寿州窑善于烧制，其他窑场也都烧制有黄绿釉的瓷器。黄绿釉瓷器同样是以深色为主要特征，影响也比较大。

6. 姜黄釉

东汉六朝、唐宋时期姜黄釉瓷器时常有见（图 3-26）。东汉六朝时期姜黄釉瓷器就常见，隋唐时期姜黄釉瓷器在数量上进一步丰富，但著名的寿州窑姜黄釉瓷器倒是很少见。这说明姜黄釉瓷器显然不是黄釉瓷器的主流。姜黄釉瓷器是以黄釉为基调衍生出来的色彩，这显示了唐代黄釉瓷器在色彩追求上的多元化趋势，已经形成了庞大的色彩体系。另外在色彩上，姜黄釉瓷器逐渐改变了寿州窑黄釉瓷器以深色为主的特征，逐渐向淡黄靠近。

7. 米黄釉

米黄釉瓷器在东汉六朝、唐宋时期较为流行，特别是早期较为流行，东汉晚期和六朝时期常见（图3–27），隋唐时期少一些。米黄釉瓷器在著名的寿州窑黄釉瓷器中很少见，显然不是唐代黄釉瓷器的主流特征。米黄釉属于色彩较有深度的颜色，在东汉六朝时期米黄釉瓷器在色彩上还显得很不成熟，几乎无色彩上的浓淡分界；在唐代米黄釉瓷器看起来烧制已经较为成熟。由此可见，唐代黄釉瓷器在色彩上是包容了众多衍生性色彩，而这些色彩有很多是在借助传统。

图3–27　闪烁着油性光泽的米黄釉瓷器标本·六朝至唐

图 3-28　通透性较好淡黄釉绞胎瓷器标本·唐代

五、从淡色釉上鉴定

1.淡黄釉

淡黄釉瓷器在东汉六朝、唐宋时期较为流行。东汉晚期就有见淡黄釉的瓷器，六朝时期也常见（图 3-28），但此时的淡黄釉瓷器在烧制上显然不太成功，直到唐代淡黄釉瓷器的烧制才算是比较成功，我们看到许多黄釉色彩较淡的瓷器标本，淡淡的黄釉几乎是透明的，可以轻松地看到瓷器的胎体和化妆土。淡黄釉瓷器在寿州窑黄釉瓷器中很少见，可见不是唐代黄釉瓷器的主流特征。淡黄釉属于浅色彩，其色彩在浓淡程度上不明显。唐代淡黄釉瓷器主要以窑口兼烧为主要特征，但从数量上看较为丰富。

2.淡黄略泛绿釉

东汉六朝、唐宋时期淡黄略泛绿釉瓷器偶能见到（图 3-29），而且出现的时间较早，早在东汉时期我们就发现淡黄略泛绿釉瓷器，及其他的器物，如壶罐等器皿，六朝时期也碰到一些，但数量似乎在减少，到了隋唐时期则基本不见黄略泛绿釉的瓷器，这说明淡黄略泛绿釉瓷器在其釉色上还不是成熟的瓷器，在唐代真正意义上的黄釉瓷器中被淘汰，而且剔除的比较彻底。

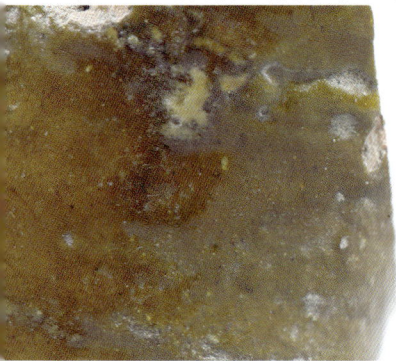

图 3-29　局部淡黄泛绿釉瓷器标本·唐代

3. 淡绿釉

淡绿釉瓷器在色彩上属单色釉的范畴。从其时代特征上看，东汉六朝时期很少见到此类瓷器的存在，隋唐时期有见（图3-30），但数量很少。从色彩上看，成色较为稳定，基本上没有串色现象。从浓淡程度上看，由于色彩较浅，所以通透性很强，但由于绿色遮挡性较强，所以既使浓重程度不高，我们也很难从淡绿釉的色彩上看到胎体。从窑口上看，生产淡绿釉瓷器的窑口很多，但都是兼烧。淡绿釉瓷器的影响十分深远，在后来的五代及宋都有为数不少的淡绿釉瓷器出现。

图3-30 淡绿釉青瓷标本·唐宋之际

4. 淡青釉

淡青釉瓷器在东汉六朝、唐宋时期十分丰富（图3-31），有很多人一看淡青釉瓷器就说是复色，其实仔细看淡青釉瓷器在颜色类别上依然是单色，只不过是色彩的浓淡程度较浅。淡青釉瓷器在东汉六朝时期就有见，而且数量也不少，在隋唐时期也是这样。我们来看一则实例，"唐代瓷器，M:2通体淡青釉"（偃师商城博物馆，1995）。这件唐代瓷器通体施加的都是淡青色的釉质，而且不是特例。在同一个墓葬当中不仅仅出土了淡青釉瓷器，而且还出土了其他诸多的淡青釉器皿，可见淡青色釉在唐代十分流行。

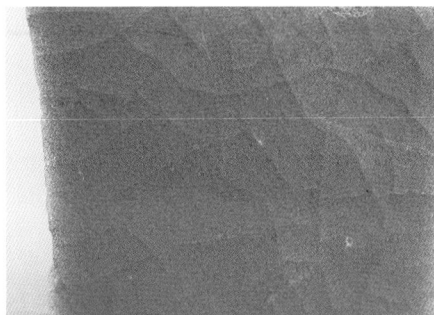

图3-31 淡青釉青瓷·唐宋时期

5. 淡青带黄釉

淡青带黄釉从色彩类别上看虽然基本色彩属于淡青色，但由于和黄釉色彩融合在一起，所以应属于复色的范畴。从呈色上看较为稳定，串色的情况很少，色彩以淡为主（图3-32），通透性比较好。从时代上看，主要流行在唐代，东汉六朝时期很少见，也无固定的窑口烧造，为各大窑口普通类产品之一。

图3-32 淡青带黄釉瓷器标本·宋代

六、从黑釉上鉴定

1. 纯黑釉

东汉六朝、唐宋时期，纯黑釉瓷器逐渐成为一种时尚，进入到人们的日常生活当中（图3—33）。虽然黑瓷器在东汉晚期同青瓷器一同产生，但黑釉的色彩还远达不到纯正的效果，多数在颜色类别上属复色和串色瓷器。进入六朝后，黑瓷器在烧造技术上有所提高，还出现了专门烧造黑瓷的窑场德清窑。德清窑烧造的黑釉瓷器多数达到纯色的效果，也就是人们常说的"黑如漆"的效果。而黑釉瓷器是否为纯色，我们往往也多是和漆器相比，因为黑色是世界上最幽暗的色彩，黑到极点即是纯色。纯正黑釉瓷器色彩稳定，几乎无通透性，外观凝重（图3—34）。"黑如漆"的瓷器在六朝时期多属于精致的黑瓷，数量很少，多数黑釉瓷器达不到纯黑的效果。隋唐时期烧造黑瓷器的窑场相当丰富，但专有的黑瓷窑场也并不多见，通常情况下都是兼烧。唐代黑釉瓷器在技术上已经较为成熟，纯黑色彩相当普遍，但由于黑釉瓷器的民用色彩极为浓重，所以即使在唐代，也有相当多黑釉瓷器在色彩上不是很纯正。

2. 黑褐釉

黑褐釉瓷器在东汉六朝、唐宋时期较为流行。从色彩上看，黑褐釉瓷器显然属于复色的范畴，黑、褐两种色彩融合在一起。这种色彩虽然在幽暗程度上有所降低，但看起来黑釉瓷器已不是那样的凝重，给人以放松的感觉。正是由于这样的黑褐釉瓷器赢得了人们的喜爱，从其产生之时的东汉晚期就有发现，直至六朝隋唐时期都

图3-33 纯黑釉茶盏·宋代

图3-34 外观凝重德清窑黑瓷壶·唐仿六朝

图3-35　子母口黑褐釉瓷盒·唐代

图3-36　黑中泛黄釉黑瓷碟·辽代

十分流行，而且影响十分深远。我们可以看到，在宋元瓷器中同样发现了诸多黑褐釉瓷器。黑褐釉瓷器在东汉六朝、唐宋时期为最普通的民用瓷，数量众多（图3-35），各个窑口基本上都有烧造。从呈色上看，东汉六朝黑釉瓷器在色彩上也较为稳定，没有串色很严重的情况，只是在釉质的浓淡程度上有所不同。

3. 黑中泛黄釉

东汉六朝、唐宋时期黑中泛黄釉瓷器有见（图3-36）。黑中泛黄釉不是纯粹意义上的复色釉，它只是在黑釉中有黄釉闪烁，而并不是黑釉和黄釉的融合，这一点我们在鉴定时要引起注意。但这是一种烧造成功的黑瓷釉色，只不过在呈色上不是很稳定罢了。从数量上看，东汉晚期有见，但数量不是很多；隋唐时期继续发展，数量有所增加，特别是在唐代中后期我们发现有许多黑釉瓷器上闪烁着黄釉的色彩。

4. 黑中泛紫釉

黑中泛紫釉也是一种复合的色彩，但不纯正（图3-37），因为只是黑釉瓷器上泛出一些紫釉色彩，实际上这是一种缺陷。黑色和紫色本身在烧造时就容易串色，其实不仅仅东汉六朝、唐宋时期常见黑中泛紫釉的色彩，而且在以后的其他时代都很常见黑中泛紫釉的瓷器。从窑口上看，在东汉六朝、唐宋时期的许多窑场都有烧造，但多是兼烧，不过兼烧的规模都很大。

图3-37　建窑黑中泛紫釉兔毫盏·宋代

七、从褐釉上鉴定

1. 褐 釉

东汉六朝、唐宋时期褐釉瓷器较为丰富。由于黑褐色瓷器的影响比较大，所以许多人在不经意时就会误认为褐釉瓷器是一种复色瓷器（图3-38）。实际上，当我们仔细观察真正意义上的褐色釉瓷器还是存在的，釉色稳定，没有串色现象，浓淡适中，这样具有纯正色彩的褐釉瓷器在东汉六朝、唐宋时期我们还是可以经常看到的，显然这是该时期器物在追求色彩纯度上的重要尝试。当然这种尝试很成功，但似乎并没有像黑瓷和白瓷那样真正地兴起，而是显得很平淡。有时我们在谈到这一时期的瓷器时甚至忘记了谈褐釉，但事实是它们的确真实地存在着。

2. 褐黄釉

褐黄釉瓷器是一种标准的复色，是以褐色为主要特征，与黄釉瓷器进行融合的一种色彩（图3-39）。这种复色瓷器实际上是由于串色形成的，所以，我们看到这类褐黄釉的瓷器在色彩上不是很稳定。有时在一件器物上就有好几种不同的色彩变化，其色彩的浓淡程度也是较深。从数量和流行程度上看，东汉六朝、唐宋时期褐黄釉瓷器并不是十分流行，只是有见而已。

图 3-39 黄褐釉瓷器标本·唐代

图 3-38 褐釉黑瓷盒盖·宋代

八、从酱釉上鉴定

1. 酱 釉

东汉六朝、唐宋时期酱釉瓷器十分丰富，东汉晚期有见，六朝和隋唐时期都十分流行，而且色彩的纯度较好，呈色稳定，几乎没有微小的串联色彩，在通透性上也较好，色彩的浓淡程度以淡色为主（图3-40），基本上为淡酱色的釉色。基本上六朝隋唐时期的窑场都兼烧酱釉瓷器，特别是酱釉瓷器的数量比较多，但没有发现专一烧造酱釉瓷器的窑场。酱釉色彩属于中性色彩，最适于人们日常生活之用，所以从整个古瓷器史上看，东汉六朝、唐宋时期酱釉在烧造上的热情还远未结束，宋元明清乃至我们现代依然有烧造。

图3-40 酱黄釉四系罐·六朝唐之际

图 3-41　酱黑釉瓷器标本·元代

2. 酱黑釉

　　酱黑釉显然属于复色的范畴，是酱、黑两种色彩的集合体，是纯正酱色的衍生色彩。当然，在色彩分割上是以酱色为主，以黑色为辅（图3-41）。东汉六朝、唐宋时期，酱黑釉瓷器十分常见。特别是唐代，从出土器物上看数量众多，从呈色上看十分稳定，除了酱黑两种色彩外基本上没有其他的色彩串联，通透性要比黑釉色彩好得多。当时的各大窑口基本上都兼烧酱黑釉的瓷器，酱黑釉瓷器作为一种民用色彩浓郁的瓷器在产量上也比较大，但从做工上看精美绝伦器不是很常见（图3-42）。

图 3-42　酱黑釉瓷罐·唐代

3.酱黄釉

酱黄釉从色彩类别上看也是一种复色，看来酱釉瓷器出现了如同青黄釉等其他诸多色彩一样的情况，与黄釉的色彩结合在一起，这的确是东汉六朝、唐宋时期在衍生性色彩上的一种趋势。酱黄釉瓷器在东汉六朝、唐宋时期十分流行，从东汉晚期就有，六朝和隋唐时期也常见（图 3-43）。从釉色上看较为不稳定，明显有诸多串色色情况。主要表现是许多黄釉色彩在酱釉之上闪烁。酱黄釉瓷器在烧造上技术难度不是很高，所以这一时期很多窑口都在烧造这种瓷器。但酱黄釉瓷器也是一种民用的瓷器，主要在市井之上流行，真正在上流社会流行的情况很少。从精品程度上看，精美绝伦器也极为少见。

图 3-43 酱黄釉瓷罐·六朝唐之际

4.酱褐釉

东汉六朝、唐宋时期酱褐釉瓷器十分丰富，东汉晚期就常见，六朝和唐宋时期也十分常见（图 3-44）。从窑口上看，基本上当时各大窑场都有烧造，但没有专一烧造的窑场。从使用阶层上看，多为市井之上使用，甚至较为讲究的家庭应该都不会使用。因为这类瓷器的标本，城址内出土较多，而且从出土位置上看，多属于的闹市的区域。这说明，在当时一些沿街的酒楼内可能较多使用这些酱褐釉瓷器。从呈色上看，酱褐釉瓷器较稳定，从色彩的浓淡程度上看属于深色釉的范畴。从整体上看，酱褐釉瓷器的烧造已经较为成熟。

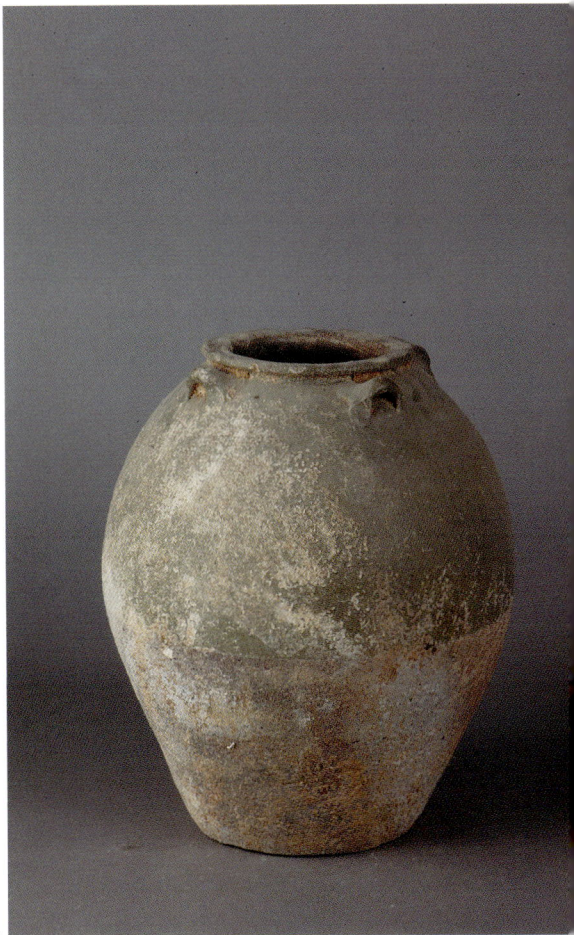

图 3-44 酱褐釉瓷罐·唐代

图 3-45 绿釉执壶·唐代

九、从绿釉上鉴定

1. 绿 釉

东汉六朝、唐宋时期绿釉瓷器已是较为成熟的色彩，在色彩纯度上基本已经成熟，釉色稳定，但通透性不强，色彩以淡绿色为主（图 3-45），较深的绿色很少见。绿釉瓷器在数量上较为丰富，经常可以看到，不过东汉六朝时期比较少见，只是到了隋唐时期数量才逐渐多起来。绿釉瓷器在视觉上给人们带来了新的冲击力，虽然为诸多绿釉衍生色彩的产生创造了条件。但由于青瓷的强势存在，绿釉瓷器的发展受到了限制，始终在青瓷器的巨大阴影之下生存。

2. 绿灰釉

东汉六朝、唐宋时期绿灰釉瓷器有见（图 3-46），但在数量上不是很多。我们来看两则实例，"隋代瓷器，施绿灰色釉""唐代瓷器，施绿灰色釉"（安阳市文物工作队，1997）。以上两件绿灰釉瓷器都是隋唐窑址出土，只是一件是隋代，而另外一件是唐代，看来绿灰釉瓷器在隋唐时期还较为流行，但从东汉六朝时期瓷器上看，绿灰釉瓷器却很少见。

图 3-46 与瓷器相类的绿釉泛灰实用三彩标本·唐代

图 3-47 绿釉泛黄执壶·唐代

图 3-48 墨绿釉瓷器标本·唐代

3. 绿釉泛黄釉

　　绿釉泛黄釉不纯粹为复色，因为它只是绿釉之上轻微地泛黄釉，而并不是绿黄釉，这一点我们在鉴定时要引起注意。从釉色上看，显然还不属于较为成熟的色彩，呈色较为有游离感，不是很稳定，在浓淡程度上较深。从窑口上看，有很多窑口都有生产，但都是兼烧。从时代上看，东汉六朝、唐宋时期绿釉泛黄釉瓷器基本都有（图3-47），东汉晚期和六朝时期数量较少，而隋唐时期数量有明显增多。

4. 墨绿釉

　　墨绿釉瓷器是绿釉瓷器中最为浓重的色彩。从数量上看，东汉六朝时期墨绿釉瓷器的数量不是很多；隋唐时期有见（图3-48），但基本也是偶见，釉色凝重，在色彩上十分稳定，没有透明感，色彩的浓淡程度相当深，各大窑口基本有生产，但不见规模生产。

图 3-49 棕色釉双系罐·唐代

十、从棕色釉上鉴定

1. 棕色釉

东汉六朝、唐宋时期棕色釉瓷器已经产生。东汉六朝时期棕色釉的烧造似乎还不太成熟，但在隋唐时期有见棕色釉的瓷器，而且从数量上看也有不少。我们随意来看一件实例，"隋代瓷器，标本 Y2：施棕色釉"（安阳市文物工作队，1997）。当然唐代还有很多的实例，我们在这里就不在赘述。但这说明在隋唐时期棕色釉显然已经成为一种时尚。可见隋唐时期瓷器追求色彩多样化的程度，各种色彩基本上都尝试到了，棕色釉瓷器实际上已经成为众多品种瓷器中的一种。东汉六朝、唐宋时期棕色釉瓷器在色彩类别上已完全达到单色的要求，呈色十分稳定，基本上没有串色现象，色彩的浓淡程度以浓深为主（图 3-49）。当时许多窑场都烧制棕釉瓷器，只有少数的窑场完全不烧制。

2. 棕绿釉

东汉六朝、唐宋时期棕色釉瓷器在数量上较为丰富（图 3-50），是一种复色釉，为棕色釉瓷器的一个变种，而且色彩比较稳定，较为浓深。东汉晚期基本不见；六朝时期有见，但数量很少；唐代数量有一定的增加，但依然属于较为稀少的瓷器品种。在东汉六朝、唐宋时期诸多窑口都有烧造棕绿釉瓷器，但都是以兼烧为主。

图 3-50 棕绿釉标本·唐代

图 3-51 淡黄釉绞胎瓷器标本·唐代

十一、从绞胎釉上鉴定

1. 淡黄釉绞胎

绞胎釉最早产生于唐代（图 3-51），其釉色以淡黄釉为主要特征，因为只有浅淡的色彩才能更清晰地凸显绞胎的纹理，而深黄色效果则不是很好。淡黄釉从色彩类别上看属单色釉范畴，色彩十分稳定，基本上没有偏色和串色的现象，通透性极强，几乎是透明釉，不过釉色是淡黄而已。从釉色的浓淡程度上看十分均衡，以淡色为主（图 3-52）。生产淡黄釉绞胎瓷器的窑场为著名的巩县窑，其他的窑场很少烧造。

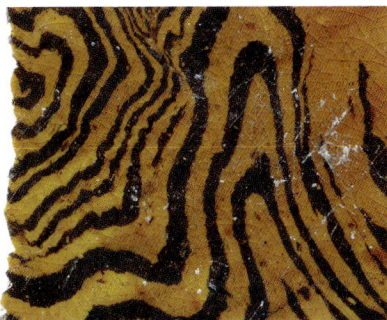

图 3-52 淡黄釉绞胎瓷器标本·唐代

2. 绿釉绞胎

唐代绿釉绞胎瓷器有见（图 3-53），但数量不是很多，从色彩上看同样属于单色，只不过是和淡黄釉色彩不同的绞胎釉色。这是一种较为成功的色彩，呈色稳定，无串色等现象，通透性良好，色彩浓淡程度以淡为主（图 3-54），淡淡的一层绿色，几乎是透明的，我们可以透过釉色看到多变的绞胎纹理。在唐代，见到巩县窑有烧造，但数量不及淡黄釉。其他窑场也有烧造，但数量很少，质量也不如巩县窑好。

图 3-53 绿釉绞胎瓷器标本·唐代

图 3-54 绿釉绞胎瓷器标本·唐代

十二、从釉里红上鉴定

元代的釉里红瓷器是景德镇窑的一大发明。它主要是以氧化铜为原料在坯胎上绘画，然后上透明釉，再在1200～1300℃的高温下一次烧成，呈现出红色花纹。实际上，釉里红瓷器的烧造方法和元青花瓷器基本相同，只不过是用料不同罢了。釉里红瓷器常见的纹饰主要有牡丹、仙鹤、芦雁、蕉叶、竹石、莲纹、忍冬等。看到这些纹饰，我们可以明显地感觉到与青花瓷有些相象，这些纹饰同样也是青花瓷上常见到的（图3-55）。看来釉里红瓷器的确与青花瓷有一定的渊源关系。但这也很正常，因为同是一个窑口创烧的品种，相互之间不可避免地要进行借鉴。但从以上纹饰看，主要是釉里红瓷器借鉴青花瓷的比较多，借鉴的内容多是一些小型的纹饰图案，而没有大型图案。由此我们可以得出这样的结论，就是釉里红瓷器在纹饰上没有青花瓷丰富，多是借鉴青花瓷而已。

而从造型上也是这样，釉里红瓷器的造型不是太多，一般以高足杯、观音、侍女等为主要特征，其造型的特征显然多是从青花瓷中借鉴过来的，明显造型不及青花瓷多。而且借鉴的都是一些小型的、生产规模不大的器皿，很少有大型的器皿。这是因为，釉里红瓷器属于名贵的品种，它的烧造十分难。"釉里红的铜红不易控制，对窑火要求严格，一定要在还原焰的气氛中才能呈现红色，因而能达到纯正红色的釉里红器甚少。一般色泽或极淡呈粉红，或浓红乃至黑褐与赭色，或泛灰，并且易于晕散致使轮廓模糊不清（图3-56）"（耿宝昌，2002）。由上可见，由

图3-55 未烧造成功的花卉纹釉里红瓷器标本·元代

图3-56 未烧造成功的釉里红瓷器标本·元代

图 3-57　钧红釉瓷器标本·宋代

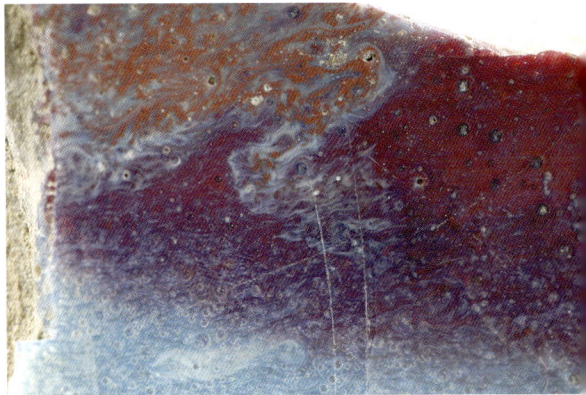

图 3-58　钧红釉瓷器标本·宋代

于釉里红瓷器非常难以制作，所以我们很少见到完全烧制成功的釉里红瓷器，见到的多是一些烧坏的釉里红瓷器，这一点我们在鉴定时要注意区分。

十三、钧红釉

钧红釉在色釉瓷器中常见（图 3-57），是一种高温铜红釉，窑变而成，灿如红霞，是瓷器上最早烧造出的红色，通常在钧瓷上出现，是瓷器上最早出现的成熟的红色，这对于单调的瓷器色彩来讲是一个破天荒的发明。钧红的色彩艳丽、万变，"入窑一色，出窑万彩"，更多表现出的是以红色基调为基础衍生性色彩，常见的品类有玫瑰紫、海棠红、柿红、暗红等。从官窑和民窑上看，官、民窑都有烧造，但最为精致的还是为宫廷烧造的精美绝伦的钧瓷红釉。如河南禹州钧台窑烧造的具有官窑形制的瓷器可谓是精美绝伦。从窑口上看，主要以钧窑烧造为主，但钧窑是一个庞大的瓷窑系统，由此可见诸多的钧瓷窑系的窑场都有烧造，在总量上有一定的量，但显然占不到主流地位。从器物造型上看，常见的主要有碗、盘、碟、瓶、钵、注、罐等，可见涉及器物造型众多，在钧瓷中基本上没有过于规律性的特征，基本上所有钧瓷中都有可能会出现钧红的现象。从精致程度上看，从钧瓷中钧红的出现来看，主要以精致的钧瓷为显著特征，普通的也有见（图 3-58），但数量急剧减少，粗糙的钧瓷之上出现钧红的情况很少见。从时代上看，宋代达到巅峰，金元时期都有见。下面我们来具体看一下钧红的各种绚丽色彩。

图 3-59 浓深玫瑰紫釉钧瓷标本·宋代

图 3-60 玫瑰紫釉钧瓷标本·宋代

图 3-61 玫瑰紫釉钧瓷标本·宋代

图 3-62 较浅浓深玫瑰紫釉钧瓷标本·宋代

1. 玫瑰紫

玫瑰紫的钧瓷常见（图 3-59），在总量上比较丰富，显然是钧红中最重要的色彩之一。玫瑰紫的钧瓷主要以宋代为常见（图 3-60），之后呈现出下降的趋势。玫瑰紫本质是一种高温还原铜红釉，在高温还原的气氛中烧制而成，常常与天青、天蓝釉色一起交融形成绚丽的色彩。存在的状态主要是斑块，大小不一，无拘无束，自然洒脱，宛如天空中的彩霞，赏心悦目。玫瑰紫的钧瓷在色彩上特征比较明显，达到了至纯至美，红中有紫、紫中有红，紫红中又有蓝、褐等色。总之是相互形成复合色彩，窑变的气氛浓重。由此可见，玫瑰紫在色彩上的成就，主要是通过人们的视线来宣泄思想。

从时代上看，宋元时期常见（图 3-61），但主要以宋代最为精致。钧红中的玫瑰紫釉在色彩浓淡程度上的变化也是异常强烈。同一件器物之上的玫瑰紫釉在浓淡程度上的变化异常丰富，连绵不断，跌荡起伏，浓淡深浅不一。从宏观上看，紫玫紫釉的色彩变化都是基于玫瑰紫色的范畴之内，如浓深、较浅、浅淡等层次分明。浓深玫瑰紫的钧瓷比较常见（图 3-62）。从特点上看，浓深玫瑰紫釉在色调上较为浓重，而且沉静典雅，趋于庄重，最易触动人们的情怀。从稳定性上看，浓深玫瑰紫比较稳定，微观色彩也是变化多端。

从时代上看，宋代多见，而金元时期则比较少见。较浅玫瑰紫的钧瓷介于浅淡与浓深之间，在总量上比较丰富，浓淡程度上变化大，完全是在以一种独立的色彩出现。主要以宋代为常见（图3-63），几乎不见粗糙的器皿。浅淡玫瑰紫的钧瓷时常有见（图3-64），但主要限制在宋代，在总量上十分有限，而且最为淡化，稳定性较好。不过从微观上看，在浅淡玫瑰紫釉内依然存在着浓淡深浅不一的变化，但这种变化显然并未超出浅淡玫瑰紫的范畴。从窑口上看，主要以给宫廷烧造瓷器的窑场为最常见。在光泽上，玫瑰紫的钧瓷在光泽上显然属非金属的范畴。其乳浊釉黏度大，不易流动等特点，造就了乳光釉不透明、润泽的新特点。多数油性光泽浓郁，通体闪烁着淡雅、柔美的非金属油性光泽，色彩明暗变化丰富，精美绝伦。钧瓷上的玫瑰紫釉将我们带入一种意境，这种意境往往超越了现实生活但又基于现实。钧瓷通过这种强烈的视觉刺激人们的情怀，感悟到意境之美，引起人们对于美好事物的回忆，而且不同时代有着不同的精神内涵折射。这是钧瓷玫瑰紫色釉最为绝妙之处，不同时代的人在看到它后会有不同感触，不同的人看玫瑰紫会有不同的感触，这样，实际上钧红是通过意境实现了它的社会化功能，在宋代名窑林立的环境当中争得了宋代五代名窑之一的美名。

图3-63 浅淡玫瑰紫釉钧瓷标本·宋代

图3-64 玫瑰紫釉钧瓷标本·宋代

图 3-65 钧瓷海棠红瓷器标本·宋代

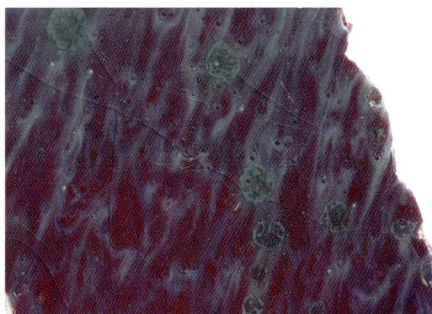

图 3-66 钧瓷海棠红标本·宋代

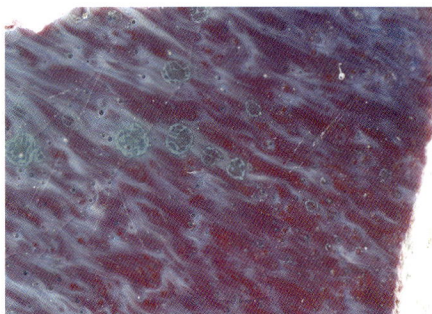

图 3-67 钧瓷海棠红标本·宋代

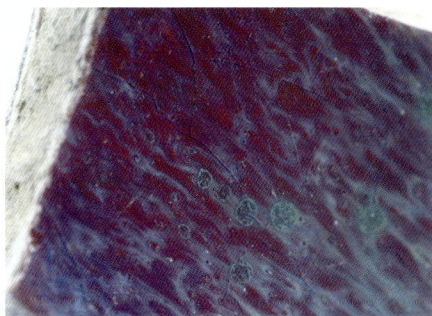

图 3-68 钧瓷海棠红瓷器标本·宋代

2. 海棠红

海棠红的钧瓷经常可以看到。从总量上看，海棠红的钧瓷在总量上还算是丰富，但与玫瑰紫色相比略微逊色。钧瓷海棠红在各个时代都有见（图 3-65），宋代较为多见，金代元代数量逐渐减少。钧瓷海棠红比较容易理解，在高温还原的气氛中烧制而成，犹如天空的彩虹，精美绝伦。钧瓷的海棠红同样以斑块状存在，有时有见带条状，大小不一，无拘无束地存在于钧瓷之上。从概念上看，钧瓷海棠红给人的感觉首先是鲜亮，模仿现实生活中的海棠花，犹如将海棠花的色彩平铺在瓷器之上，亦真亦幻，最为美丽（图 3-66）。

从时代上看，无论在宋代还是金元时期基本上都是这样。色彩浓淡程度可以分为浓深、较浅、浅淡三个层级。浓深者色调较为深沉，但依然鲜丽，稳定性较强，色彩富于变化；较浅海棠红的色彩色泽淡雅，柔和，稳定性较强，以宋代最为常见（图 3-67），金元逐渐递减；浅淡海棠红的钧瓷时常有见（图 3-68），从概念上看，浅淡海棠红的钧瓷在色调上相对于较浅者更浅，且具有独立性。在光泽上，钧瓷海棠红属非金属的范畴，乳浊釉，失透，光泽润泽、温润，油脂性光泽浓郁，鲜嫩。同玫瑰紫釉一样，钧瓷海棠红的绚丽，会将我们带入一种境界，这种意境超越时空，作用于每一个看到它的人，"这是所见到海棠红钧瓷的每一个人都始料不及的。很自然，我们的思绪会随着视线所能观测到的海棠红色而进入有我或者是无我的境界。我们会将生活中所有的美好事物，包括

心情与此相联，陶冶的是情操，触动的是情怀，感悟到的是人生之
美（图 3-69）"（姚江波，2010）。从精致程度上看，有海棠红的
钧瓷基本上是精致瓷器；普通和粗糙者几乎不见。

3. 紫红釉

紫红釉是一种红色铜的还原色彩，墓葬和遗址都有见（图 3-70）。
从时代上看，各个时代都有见。从数量上看，主要以宋代为主，金
元略逊。紫红釉主要以斑块的状态存在，大小不一，形状相连，绚
丽多彩。从色彩上看最为妩媚，窑变的气氛浓重（图 3-71），色彩
变化多端。在浓淡程度上的变化非常丰富，从大的方面可以分为浓
深、较浅、浅淡三种：浓深紫红釉比较稳定，宋代最为丰富；较浅
紫红釉色彩处于浅淡与浓深之间，总量丰富，宋代较常见；浅淡紫
红釉色彩比较稳定，绚丽，鲜嫩欲滴。总之钧瓷紫红釉光泽柔、淡雅，
精美绝伦，以精致瓷器最为多见；普通瓷器中有见（图 3-72）；粗
糙瓷器中很少见到。

图 3-69 钧瓷海棠红标本·宋代

图 3-70 紫红釉钧瓷标本·宋代

图 3-71 紫红釉钧瓷标本·宋代

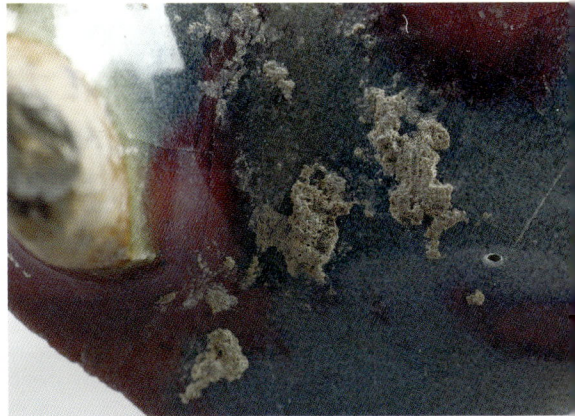

图 3-72 紫红釉钧瓷标本·宋代

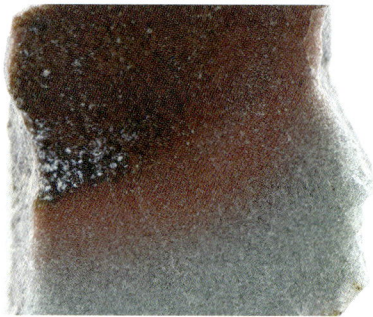
图3-73 柿红釉钧瓷标本·宋代

图3-74 柿红釉钧瓷标本·宋代

图3-75 较浅柿红钧瓷标本·宋代

图3-76 浅淡柿红钧瓷标本·宋代

4.柿红釉

柿红釉的钧瓷经常可以看到（图3-73），从总量上看，柿红釉的钧瓷总量丰富，显然是钧红中最重要的色彩之一。从时代上看，各个时代都有见。从数量上看，以宋代有见（图3-74）；金代与宋代情况相似，元代比较常见。从概念上看，为高温还原铜红釉，红釉与蓝釉以最完美的方式交融，斑块状存在，形状不一，大小兼具，宛若红霞，赏心悦目。柿红釉的斑块通常比较小，而且很少见到以带条状存在。另外，窑变气氛浓重，在细节上的细微变化常见。

从浓淡程度上看可以分为浓深、较浅、浅淡三个层次。其中，浓深柿红釉常见（图3-75），在色调上趋于浓重，鲜亮，润泽，色彩变化多端；较浅柿红釉的钧瓷在色彩上处于浅淡与浓深之间，墓葬和遗址当中都有见，多为1～2件，总量比较少，但稳定性比较好；浅淡柿红釉的钧瓷总量比较小，在色彩上十分稳定。由此可见，柿红釉的色彩浓淡程度主要是以浓深为显著特征。从光泽上看，柿红釉属非金属的范畴，乳浊釉黏度大，不易流动，虽不透明，但釉质感更为浓郁，通体闪烁着非金属的油性光泽。釉质鲜嫩，淡雅而沉静，非常美妙。从精致程度上看特征不是很明确，可以说精致、普通、甚至粗糙的瓷器之上都有见（图3-76）。但粗糙瓷器之上所见甚少，不过过于精致的瓷器之上所见也不是太多。不过从总量上来看，柿红釉是钧瓷当中最为常见的一种钧红色彩。

十四、钧瓷青釉

1.天青釉

天青釉的钧瓷最为常见（图3-77），在总量上十分丰富，为钧窑瓷器中的基本色调之一。天青釉在概念上是一种乳光釉，多属于石灰碱釉，釉层浓厚，深浅浓淡层次不一，失透感，但晶体、莹光感明显增强。在浓淡程度上可以分为浓深、较浅、浅淡。在光泽上显然属非金属光泽，淡雅柔和，宛如天空中青色，有油脂光感。器物造型有瓶、奁、钵、炉、注、罐、尊、盘、碟等常见。在精致程度上特征明确，天青釉所对应的钧瓷中精致器皿常见，普通和粗糙的器皿也常见。从时代上看，以宋代最为精致，但数量最为少见，金元时期最为常见（图3-78），但精致程度下降。

图3-77 天青釉钧瓷盘·宋代

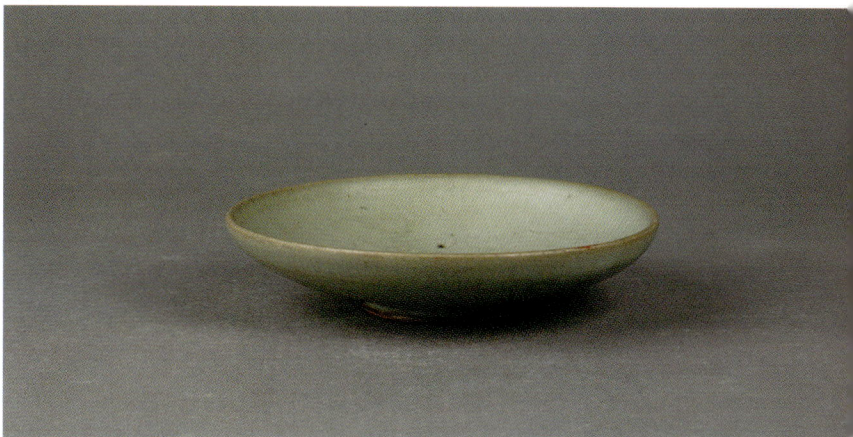

图3-78 天青釉钧瓷盘·金代

图 3-79 天蓝釉钧瓷标本·宋代

2. 天蓝釉

天蓝釉的钧瓷最为常见（图 3-79），天蓝釉在钧瓷中所占据的比例也很重。从发掘的情况来看，在城址以及窖藏之中发现的数量特别巨大，为钧窑瓷器中的基本色调之一。天蓝釉的钧瓷在时代上特征较为明显，贯穿于钧瓷的始终，各个历史时期基本上都有见（图 3-80）。从比例上看，各个时代呈现出均衡发展的态势。从绝对数量上看，天蓝釉的钧瓷虽然各个历史时期都比较多，但相比较而言，以宋代最为常见，金、元时期略逊。

钧瓷天蓝釉在概念上正如其名字一样像蔚蓝的天空。钧瓷之所以在天蓝釉色彩上取得了很大成功，这与钧瓷的乳光釉也有很大关系。因为釉质是浑浊的，失去透感的，更接近于现实中的蔚蓝天空，有朦胧感，深浅不一，加之肥厚的釉质等，这一切都增加了天蓝釉的真实感。

图 3-80 天蓝釉瓷盘·宋代

图 3—81　天蓝釉色钧瓷碟·宋代

　　由此可见，模仿天空是天蓝釉最本质和核心的内容，在现代伪品往往达不到这一效果，看起来与天空无关。

　　从具体的色彩上看，虽然钧瓷天蓝釉在色彩上比较稳定，但传说中的"钧瓷无双"并不虚。这不是钧瓷民窑化的结果，而是它的一种烧造方式。为迎合天空色彩的丰富性，试图用釉色将万变的蔚蓝天空进行描述。从色彩浓淡程度上看，天蓝釉的钧瓷在色彩上明显可以划分为浓深、较浅、浅淡三种。在光泽上，天蓝釉的钧瓷就如同蔚蓝的天空，光线充足，但不刺眼，鲜亮，非金属的光泽，由于釉质流动差和釉质肥厚，所以乳浊釉的感觉比较强，伴随着油脂性的光泽，钧瓷天蓝釉显然在明暗色彩上的对比比较强烈，色泽鲜丽，沉静淡雅，精美绝伦。

　　从器物造型上看，主要以碗、盘、碟、瓶、奁、钵、炉、注、罐、尊、洗、盆托等为常见（图 3—81）。可见以实用器为主。天蓝釉的钧瓷在精致程度上精致、普通、粗糙者都有见，并没有过于规律性的特征，在鉴定时要注意分辨。

1. 月白釉

月白釉的钧瓷在数量上十分丰富，在总量上有一定的量，是钧窑瓷器中数量最多的色调之一。月白釉的钧瓷各个时代都有见（图3-82）。宋代，月白釉瓷器异多为无瑕疵之器；金代，钧瓷的烧造主仿宋；元代，月白釉瓷器进一步兴盛，在数量上达到了一个新高，但在形式上也发生了一些变化。

月白釉的钧瓷器在概念上比较清晰，像月光般的白色，它是钧瓷石灰碱性釉黏度大、流动慢所产生的直接结果。从稳定性上看，月白釉具有相当稳定的特征，由此可见，钧瓷月白釉在烧造上是可控的。从具体色调上看，虽然月白釉的色彩是可控的，但并不在微观上起作用，在微观上纯色上起作用，所以从具体色调上看，月白釉在色调上同样可以根据其浓淡程度划分为浓深、较浅、浅淡等三个层次。月白釉的钧瓷在光泽上特征较为复杂，油性光泽浓郁，多数润滑、滋润。月白釉的钧瓷常见有碗、盘、碟、盉、钵、炉、注、罐等器皿之上都常见，从比例上看以碗、盘、碟等为多见。月白釉的钧瓷在精致程度上特征很明确，精致、普通和粗糙的瓷器都有见（图3-83）。

图 3-83 月白釉钧瓷标本 · 宋代

图 3-82 月白釉钧瓷标本 · 宋代

第二节 明清釉色

一、天蓝釉

天蓝釉在颜色釉瓷器中有见（图3-84），主要以传世品为主，多数收藏在宫廷之中，很少在民间流行，在烧造数量上非常少，在同时期也是非常珍稀。

从概念上看，天蓝釉是高温釉，在釉料中加入了一定量的钴料，烧成厚色彩呈现出蔚蓝天空的色彩，给人以强烈的视觉震撼。从时代上看，天蓝釉的瓷器最早见于康熙时期，雍正、乾隆时期都有见（图3-85），并且在烧造水平上都达到了较高的水平，乾隆之后衰落。

从官窑与民窑上看，主要以官窑烧造为主，民窑仿烧的器皿也有见，但仿烧的水平多不得大意。从器物造型上看，天蓝釉的颜色釉瓷器由于是高温釉，显然具有实用的功能，因此在造型集聚实用与陈设装饰的造型之精华，如碗、盘、碟、洗、盒等实用器皿常见（图3-86），而觚、尊等纯正装饰性的器皿也有见，由此可见，天蓝釉瓷器在造型上与功能联系极为紧密。

图3-84 天蓝釉标本·清代

图3-85 天蓝釉标本·清代

图3-86 天蓝釉瓷炉·清代

从器物造型的大小上看，天蓝釉的器皿以小为主，这可能是为了满足便于把玩和实用的需要，而且造型以"奇"制胜，如把尊往往做成观音的造型，总之在造型艺术上具有极高的造诣。从功能上看，天蓝釉瓷器集聚实用与装饰把玩功能为一体，而且这两种功能结合得极为紧密，精益求精，精美绝伦之极。

二、乌金釉

乌金釉在颜色釉瓷器中有见（图3-87），但数量很少，基本上由宫廷烧造，是在宫廷内流行的一种品种色釉瓷。主要以传世品为主，墓葬和遗址当中很少见到。从概念上看，所谓乌金釉主要指的就是其釉色比较黑，与阴沉木及乌金的色彩比较相似，原因是以铁为着色剂，比较稳定，色泽鲜亮，闪烁着非金属的淡雅光泽，沉静淡雅。

从时代上看，乌金釉时间并不是很长，创烧于康熙年间，在康熙朝十分流行。但雍正皇帝并不是很喜欢纯正乌金釉的产品，雍正早期有见（图3-88），中晚期很少见到，主要是将其嫁接在了珐琅彩等器皿之上。乾隆及其他各朝很少见。从器物造型上看，乌金釉瓷器在造型上以碗、盘、盒、洗、碟等器皿为多见，造型以小件为多，主要是一些日常生活用具。由此我们可以看到宫廷生活的奢华，用如此精美绝伦的器皿来实用，这一点从器物造型上看十分明确。从造型与功能上看，由于乌金釉瓷器是一种高温釉，又多是小件器物，所以在功能上真正实用的器皿少见，而主要为一种陈设和赏玩器（姚江波，2010）。

图3-87　乌金釉珐琅彩花卉纹盒·当代仿清

图3-88　乌金釉珐琅彩花卉纹图案·当代仿清

图 3-89　青釉瓷盘·清代

图 3-90　冬青釉瓷盘·清代

从官窑和民窑上看，乌金釉瓷器为宫廷烧造的高档瓷，只限于清代景德镇官窑烧造，民窑很少见有烧造。今天的仿品比较多，但基本上都是不得大意。从精致程度上看，乌金釉瓷器为精美绝伦的艺术珍品，造型隽永，亦真亦幻，与普通和粗糙瓷器无缘。

三、青釉

青釉在颜色釉瓷器中有见（图 3-89），传统青釉的发展从东汉晚期直至明清衰落。在衰落之后，景德镇窑烧制了一批青瓷新品种，主要以色彩划分，色彩最深的颜色为冬青釉，较深的色彩为豆青，浅色调为粉青，这三种色彩官、民窑都有生产，在明清时期都相当流行。下面我们具体来看一看：

1. 冬青釉

冬青釉在色釉瓷器中常见（图 3-90），官窑器主要以传世品为主，因为都是宫廷收藏，所有的器物都是传承有序，民间很少有见。

从概念上看，釉色深沉、苍翠，深青色，釉色纯正，为高温釉的一种，多数闪烁着非金属淡雅光泽，有较强的玉质感，这样色彩几乎是达到了釉色的极致。

从时代上看，明代冬青釉瓷器就已经烧造成功，永乐朝景德镇创烧，之后迅速兴盛，整个明代，官窑冬青釉瓷器都十分流行。

　　清代，景德镇窑继续烧造，康、雍、乾时期在釉色上都达到了较高水平。不过此时民窑仿烧异常繁多，如一些乡村级的地方小窑场也纷纷仿烧，使得冬青釉瓷器大为流行，在民间大有人们只知道民窑冬青釉瓷器，而不知官窑也有。官、民窑在釉色上只是略有差别而已。从器物造型上看，冬青釉在造型上十分丰富，如碗、盘、碟、洗、杯、盒等都有见（图3-91），主要以小件器物为多见，很多可以看到是日用餐具类。可见冬青釉瓷器应该基本上具有实用的功能，同时更加具有装饰性，以釉色为美。

　　从精致程度上看，官窑冬青釉瓷器基本上都是精美绝伦的艺术珍品，而民窑器皿则在这一点上表现的不是很好，精致、普通、粗糙的器皿都有见。

图 3-91　冬青釉瓷盘·清代

图 3-92 粉青釉瓷盘·清代

图 3-93 豆青釉青瓷标本·清代

2.豆青釉

豆青瓷器也是颜色釉瓷器中的重要品类，高温烧造，为明清时期的宫廷窑场所烧造（图 3-92）。

清代康熙时期最喜烧豆青釉瓷器，釉色比冬青釉略淡，仿龙泉窑的成分比较多，青翠欲滴，色彩淡雅，釉色稳定，釉层匀净，闪烁着非金属的黯淡光泽。釉色光泽柔和、滋润，看起来亦真亦幻。雍正时期烧造的豆青釉瓷器在工艺上达到了较高水平，浑然天成，精美绝伦。乾隆朝豆青釉瓷器继续发展，着重于工艺上的创新，如一些"挂粉"的瓷器出现，就是将豆青釉和粉彩瓷器结合在一起，这种瓷器受到人们青睐，特别是在民窑仿器中相当常见。

从官窑与民窑来看，是官、民窑都有烧造，但在数量上以民窑烧造为多。从风格上，民窑基本上是仿官窑（图 3-93）。从工艺水平上，民窑程式化的风格比较严重，达不到官窑的水平，只是偶见有精品出现。从器物造型上看，主要是以洗、杯、盒、瓶、尊等器形为多见，可见日用器的气氛比较浓郁。从功能上看，实用器与装饰性的功能结合比较紧密，可以说是完美地融合在一起，互为依托，不分彼此。从精致程度上看，主要以官、民窑为区分，官窑瓷器很少见到不精致者，而民窑瓷器比较复杂，精致、普通、粗糙的瓷器都有见。

图 3-94 粉青釉瓷盘·清代

3. 粉青釉

粉青釉瓷器在颜色釉瓷器中常见。从数量上主要以时代和窑口为显著特征，以清代最为常见。官窑器皿数量很少，而民窑器皿规模巨大，基本上为人们日常生活中的用具。

从概念上看，粉青釉瓷器在釉色上比冬青和豆青都要淡，但在色彩上也最为鲜亮，釉质细腻，多少有一些油脂感，多数通体闪烁着非金属的淡雅光泽。景德镇窑烧造的粉青与龙泉窑粉青有区别，它显然没有龙泉窑模仿的色泽浓重，而是相对于冬青和豆青的颜色。

从器物造型上看，主要有碗、盘、杯、盒、瓶等（图 3-94），可见，显然是以日常生活中的用具和装饰器皿为主（图 3-95）。在功能上显然是既有实用功能，同时也有装饰功能。

从精致程度上看，粉青釉瓷器通常多精致。官窑瓷器不计工本，多数是精绝之器，而民窑烧造的粉青釉瓷器在精致程度上则是参差不齐，精致、普通、粗糙的情况都有见。

图 3-95 粉青釉瓷器标本·清代

四、郎窑红

　　郎窑红的瓷器在颜色釉瓷器中有见（图 3-96），但数量极少，墓葬和遗址当中很少有见出土，多数为传世品，传承有序，以宫廷收藏传世为主。从概念上看，郎窑红因康熙江西巡抚兼督窑官郎廷极的督烧而烧造成功，因此以姓氏为名。其本质是一种高温铜红釉，色彩浓艳，似鲜血侵染残雪，给心灵以极深刻的震撼，虽然是高温烧造，但在色泽上依然鲜丽、稚嫩，同时闪烁着浓烈的非金属光泽，可以说是浑然天成。釉质在高温下变成液态自然倾泻，在这一过程当中釉色就随着薄厚而产生浓淡的变幻，釉薄处淡，积厚釉处浓艳，精美绝伦，达到了颜色釉瓷器的巅峰状态。郎窑红的烧造极不易成功，需要大量的成本，因此在当时也是非常少，非常的珍稀。有一句俗话"要想穷，烧郎窑"，可见其是极难烧制。因此，从精致程度上看，郎窑红瓷器显然都是精美绝伦的艺术珍品，与普通和粗糙器皿无缘。这一点，我们在鉴定时应注意分辨。从器物造型上看，郎窑红瓷器造型以碗、盘、瓶、尊、盂等为多见，器物造型多数比较小，并没有过大的器皿，这显然与其烧造难度有关。郎窑红瓷器以"奇"制胜，如笠式碗、观音尊、油锤瓶等都是极难成型的造型，但显然郎窑都做得很好。从功能上来看，郎窑红瓷器显然具有实用性，因为高温烧造和实用器皿的造型都说明了这一点；但同时其更具有的是艺术品的功能，没有丝毫的矫揉造作，造型隽永，弧度圆润，幻化的釉色使得一切都变得那么美。可见，郎窑红瓷器造型与功能达到了最完美的契合。

图 3-96　郎窑红高足瓷杯·当代仿清

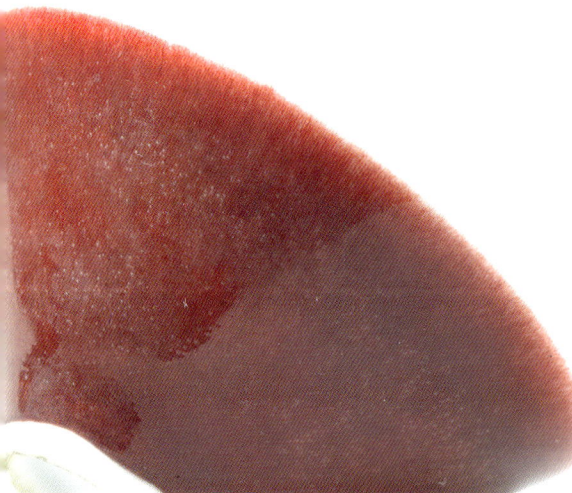

图 3-97　豇豆红釉瓷杯·当代仿清

图 3-98　豇豆红釉瓷盂·当代仿清

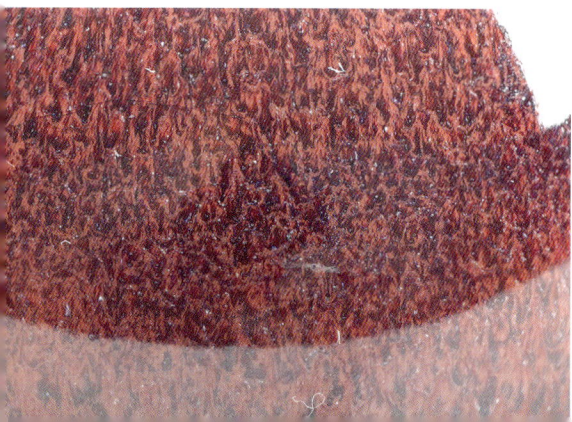

图 3-99　豇豆红釉标本·当代仿清

五、豇豆红

豇豆红釉色在色釉瓷器中有见（图3-97），但数量少得可怜，民间几乎不见，主要以宫廷收藏为主，墓葬和遗址内也很少有见。从概念上看，豇豆红是一种高温铜红釉瓷器，但施釉方法与众不同，它不是荡釉，而是吹釉，一般是在烧制好的白瓷上使用吹釉法上釉，通常要吹好几次，再入窑烧造，这样的施釉方法目的自然是为了能够在瓷器烧造成功后出现绮丽和最为震撼人心的效果。豇豆红釉显然不负众望，出现了可以与郎窑红媲美的红釉色彩（图3-98），而且不只是一种，我们来看一下：

1.“桃花扇”

高温铜烧造，吹动的釉质立刻变成液态，尽情地按照吹釉的效果在涌动。此时的色彩已经异化，犹如春天桃花的盛开，又犹如片片桃花纷纷落下的粉色，再加之瓷器这一特殊的表现手法，幻化的效果给人们留下了永久的记忆。这种粉色的色调，被人们形象地称之为“桃花扇”。 这种色彩的豇豆红瓷器常见，达到了极高的艺术水平。

2.“娃娃脸”

豇豆红釉瓷器在色彩上还可以幻化出不同浓淡深浅的色彩，由于吹釉的效果，所以浓淡交织并存，犹如冬天里孩童被冻红的脸（图3-99），又像是是怀抱中的婴儿脸上的红晕，有透感，有生命气息。小孩的红脸蛋被模仿得惟妙惟肖，越发可爱，可以称之为美的集聚。这类瓷器人们戏称其为“娃娃脸”。

图 3-100 豇豆红釉瓷杯·当代仿清

3. "美人醉"

豇豆红釉瓷器之中还有一种釉色也非常有名，它所模仿的是犹如女人酒醉时脸上所焕发出的一种红晕。美人在酒醉之时脸颊上所拥有的绝不仅仅是酒精的作用所催生出来红色，同时伴随而来的还有女人的羞涩，使人们仿佛能够感觉到涌动加速的心跳，而这种醉人的美，被豇豆红瓷器用釉色表现得淋漓尽致，给人以极强的生命感，使人沉醉。这种釉色被人们称为"美人醉"，是景德镇窑颜色釉瓷器达到巅峰时期作品的象征。

当然，豇豆红釉瓷器在色彩上还有很多种，我们就不再一一赘述。由此可见，豇豆红釉在色彩上显然达到了相当高的水平，可以将人们的所思所想游刃有余地在瓷器之上宣泄。从时代上看，豇豆红在清代康熙朝达到最高水平，特点就是善于利用色彩对人们的心理产生作用，实现色彩与人的心理的呼应，令人无限感慨。从官窑和民窑瓷器上看，主要以官窑烧造为主（图 3-100），民窑烧造很少见，偶见者多不得大意。从精致程度上看，几乎都是精美绝伦之器，鉴定时我们应注意分辨。从器物造型上看，以印盒、笔洗、瓶、尊、盂等为多见，显然这些器皿具有实用的功能，但同时与餐具等又不同，典型特点是陈设、装饰、把玩的功能性特征比较明确。可能人们认为只有这些造型才能与豇豆红绝美的釉色相匹配。同时，豇豆红瓷器在造型细部特征上又是复杂的，如可以将尊做成石榴形、马蹄形等，将瓶子做成柳叶形、菊花形、萝卜形等，艺术化处理的气氛比较浓郁，大有在造型上取得突破的迹象。

六、酒蓝釉

　　酒蓝釉在颜色釉瓷器中有见（图3-101），酒蓝釉是一种高温釉，和豇豆红一样是一种吹釉。风吹动釉质的流动，然后上透明釉烧造，同豇豆红釉瓷器一样效果犹如童话般，出窑后器形成蓝色的小斑点，像雪花一样深浅不同。酒蓝釉是一种高贵的瓷器品种，以宫廷烧造为主，数量很少。从时代上看，酒蓝釉最早烧造于明代宣德年间，但之后很少见烧造，工艺一直不见有起色，直到清康熙时期复烧，在釉色上完全成熟，达到了酒蓝釉色的效果。雍正、乾隆时期都有烧造，在工艺上均达到了相当高的水平。从器物造型上看，酒蓝釉瓷器常见的造型主要有碗、盘、瓶等，可见，酒蓝釉瓷器在造型上数量不是很多，主要是以一些兼具实用与装饰功能的瓷器为主。从精致程度上看，酒蓝釉瓷器是精美绝伦的艺术品，在造型上极为隽永，以精致瓷器为主，普通和粗糙的器皿不见。从官窑与民窑上看，主要以官窑烧造为主，民间窑场烧造的产品很少见到。

图 3-101　酒蓝釉瓷鼻烟瓷壶·当代仿清

图 3—102 仿哥釉贴花瓷瓶·明代

图 3—103 仿哥釉贴花瓷瓶·明代

七、仿哥釉

仿哥釉在颜色釉瓷器中有见（图3—102），
墓葬和遗址、传世品中都有见。从概念上看，
仿哥釉是一种高温颜色釉，其釉色不仅仅是
白釉，如青灰、粉青、豆青、月白、灰白、
淡黄等等都有见。但在开片上很少见到像宋
代哥窑那样的"金丝铁线"（图3—103），
深入胎骨，而是多细碎，讲究点到为止，主
要是仿其意境，而不是复制。从时代上看，
明清时期都喜仿制，首开于明宣德年间，清
代康旭、雍正、乾隆时期都有烧造，在工艺
上都达到了相当高的水平，堪称精绝。

图 3-104　仿哥釉瓷器标本·清代

从官窑与民窑来看，官窑器皿所仿者精致，而民窑器皿中很少见到过于精致者（图3-104）。从器物造型上看，仿哥釉瓷器常见的造型主要有碗、洗、瓶、壶、投壶、尊等，可见器物造型比较丰富。主要涉及到的有两类，一是实用器皿，以碗、盘等为常见；二是装饰为主的造型，如瓶、壶、尊等。从具体造型上看，略有复杂化的倾向。如将很多造型制作成化形等，衍生性造型也很复杂，如瓶的衍生性造型就有贯耳瓶、梅瓶、六方瓶、天球瓶、洗口瓶、兽耳瓶等。这些瓶除了贯耳瓶真正的哥窑有见外，其他都是创新的造型。总之是仿古意，而不完全仿其形。从精致程度上看，仿哥釉瓷器在精致程度上主要以窑口为区分。官窑器皿都是精致之器；而民窑器皿在精致程度上表现则比较复杂，精致、普通、粗糙者都有见（图3-105）。

图 3-105　仿哥釉贴花瓷瓶·明代

图 3-106 黄釉瓷寿桃·明代

八、黄 釉

    颜色釉瓷器中的黄釉是一种低温釉（图
3-106），以铁为着色剂。在已烧制而成的
白瓷之上施黄釉，通常在 900℃ 左右两次烧
造而成，呈现出鲜艳的色彩。明清官窑黄釉
瓷器在明代永乐、宣德年间烧造成功，其他
时期也有烧造。如成化时期黄釉瓷器的烧造
也是相当成功，釉色呈鸡油色的娇嫩，人们
称之为"娇黄"（姚江波，2010）。这种色
彩达到了相当高的水平，鸡油的色彩，呈色
稳定、凝重，在釉色上达到了尽善尽美的效果。
从器物造型上看，以碗、盘、碟等为常见（图
3-107）。从具体造型上看，瓷盘多大口、深腹、
高圈足、胎体较厚，体积较大。在功能上主
要以观赏器皿为主。从官窑与民窑上看，主
要以官窑烧造为主（图 3-108），民窑当中
很少见有烧造，有仿烧者，但多不得要意。

图 3-107 鸡油黄瓷碟标本·清代

图 3-108 官窑黄釉瓷碟标本·清代

图 3-109　仿竹器瓷帽筒·明代

九、仿竹器

仿竹器在颜色釉瓷器中有见。明清时期常见（图 3-109），特别是以清代乾隆之后最为常见。通常是在坯胎上刻出类似于竹子的花纹图案。但仿竹器的造型并不是完全模仿现实生活中的竹器造型，讲究的多是意境。如笔筒就是凸雕成一根根相互簇拥的竹子组成的造型，可以清楚地看到"竹节"。先素烧，然后再施加黄釉，将竹子的色彩完全在瓷器上再现，具有釉层稀薄、微透明、清晰、稳定等特点。从精致程度上看，可以说件件都是精美绝伦之器。从官窑与民窑来看，官、民窑都有烧造，但民窑多仿官窑，以精致瓷器为主（图 3-110），粗糙瓷器不见。

图 3-110　精美绝伦的淡黄釉仿竹器瓷帽筒·明代

十、祭 红

祭红是一种高温红釉产品，明清两代都有烧造。官窑烧造数量很少；以民窑仿官窑器为多见。传说是因器染窑工女儿之血而得名。说法荒诞，但色彩契合，浓烈的深红色，鲜红。明代就有烧造，但一直没有成功，康熙时期将其烧制成功。器物造型主要以碗、盘、瓶、碟等为多见。在具体的造型上，盘多为敞口、浅盘、圈足、平底；瓶的造型小口、细长颈、丰肩、鼓腹、矮圈足、平底。由此可见，造型简洁明快，与普通的实用器皿并无区别。的确，在生活当中，这些器皿也是可以实用的，在宫廷当中或许实用者比较少，但是民窑仿器大多是实用器（图 3–111）。从精致程度上看，主要以官、民窑为区分，官窑器精美绝伦；民窑器皿比较复杂，以精致和普通瓷器为多见，粗糙的器皿基本不见。

图 3–111　祭红釉瓷贯耳尊·清代

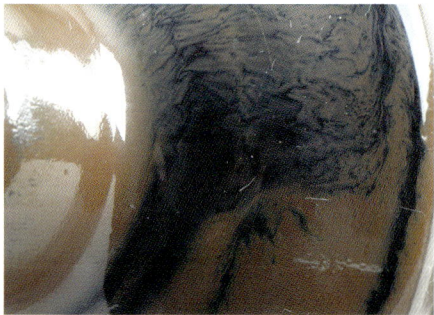

图 3-112　茄皮紫釉瓷灯·清代

图 3-113　精美绝伦的茄皮紫釉瓷器标本·清代

十一、茄皮紫釉

　　茄皮紫釉的色彩在中国古代色釉瓷器中常见（图 3-112），在总量上比较少，属于色釉瓷器中的稀有品种。从色彩上看，茄皮紫釉属低温颜色釉瓷器，在色彩上犹如成熟的茄子一般（图 3-113），以锰为着色剂，《南窑笔记》载"铅粉、石末，入青料则成紫色"，美到极点。从时代上看，茄皮紫釉为明代景德镇窑在弘治朝创烧，嘉靖、万历两朝仍有生产，明清两代兼有之。从窑口上看，以景德镇窑的烧造为显著特征。从光泽上看，茄皮紫釉油性光泽浓郁，均匀、柔和、润泽，通体闪烁着淡雅的非金属光泽（图 3-114）。从精致程度上看，茄皮紫釉的瓷器以精致瓷器为显著特征，很少见到普通和粗糙的瓷器。

图 3-114　精美绝伦的茄皮紫釉灯·清代

图 3-115 耀州窑开片釉青瓷标本·宋代

第三节 釉质特征

一、开 片

　　开片是瓷器釉面在烧造过程当中出现的裂纹（图 3-115），裂纹无规律地排列，为窑内缺陷的一种。为视觉概念，并不影响实用。开片在色釉瓷上有见，可以说是贯穿于色釉瓷发展始终。但开片只能说是部分色釉瓷器的专利，如哥窑瓷器等（图 3-116），而在如茄皮紫釉，以及绞胎、矾红釉、茶叶末釉、甜白、郎窑红、豇豆红、仿汝釉、仿官釉、乌金釉等瓷器品类上很少见到。从形状上看，色釉瓷的开片各种形状都有见，如长条状、大开片、小开片、稀疏开片、细碎开片、细小开片等，只不过在不同色釉瓷器上出现的频率不同而已。从时代上看，明清时期诸多的色釉瓷器之上开片被控制在了微弱的状态，主要以明清以前的色釉瓷器为显著特征。从窑口上看，景德镇窑生产的色釉瓷器之上除了仿哥釉等品种瓷外，其余很少出现开片的情况。从精致程度上看，开片与中国古代颜色釉瓷器的精致程度关系并不密切，可以说精致、普通、粗糙的瓷器之上都有见。

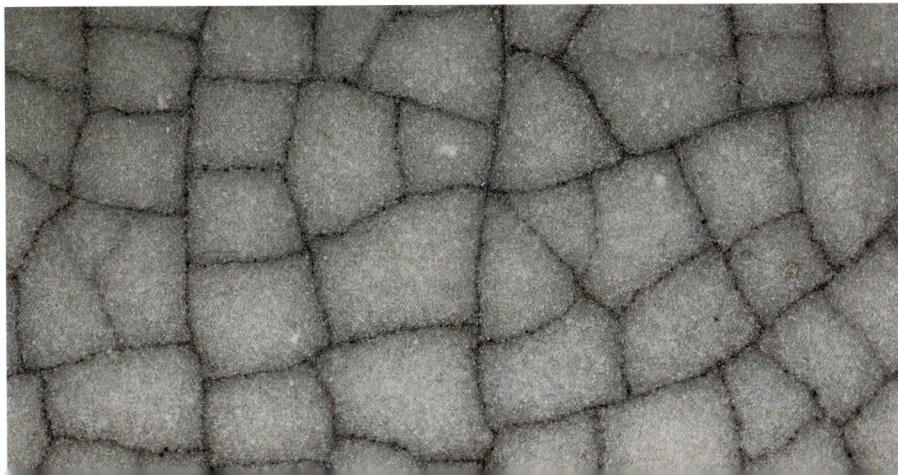

图 3-116 犹如金丝铁线般的哥窑开片标本·宋代

二、厚 薄

色釉瓷器在厚薄上的特征比较复杂，厚者和薄者都有见（图3-117），但从数量和品类上看主要以薄釉为显著特征（图3-118）。主要体现在不同时代和窑口的色釉瓷器在釉质厚薄上有区分，不同品类的色釉瓷器在厚、薄上有区分等。从时代上看，明清时期主要以薄釉的颜色釉瓷器为显著特征；而明清以前的颜色釉瓷器则有釉质较薄、厚者。从窑口上看，釉层较厚的窑口特征一般都比较明确。如钧窑瓷器在釉层上就比较厚（图3-119）；再如唐代邢窑白瓷在釉层上也比较厚。不同时代的色釉瓷器在厚薄上差异性很大，其中以明清时期为最薄。从精致程度上看，中国古代色釉瓷器釉层的厚薄与精致程度的关系并不密切，可以说精致、普通、粗糙者都有见。

图 3-117 天蓝厚釉钧瓷标本·宋代

图 3-118 内壁较薄的青瓷标本·明代

图 3-119 天蓝钧瓷厚釉标本·宋代

图 3-120 釉层均匀的青瓷标本·宋代

图 3-121 釉层均匀的红釉瓷尊·清代

三、均　匀

　　中国古代颜色釉瓷器在釉层上以均匀为主（图3-120），釉层不均的情况也有见，但是显然不是主流，而且有着较多的时代和窑口限定性。釉层均匀的情况主要以明清景德镇窑生产的众多色釉瓷器为显著特征，如矾红釉、茶叶末釉、茄皮紫釉、甜白、郎窑红、豇豆红、仿哥釉、仿汝釉、仿官釉、乌金釉、珊瑚红、胭脂水釉等瓷器中常见（图3-121）。另外，传统瓷器中绞胎釉、哥釉、钧红釉、粉青、梅子青、黄釉等瓷器主流也是釉层均匀。而不均匀的釉质主要就是宋、元时期的钧窑瓷器，在釉层上有意不均，以形成绮丽的效果。从精致程度上看，中国古代色釉瓷器釉层的均匀程度与精致程度的关系并不密切，可以说精致、普通、粗糙者都有见。

图 3-122 有流釉的寿州窑黄釉花口杯·唐代·唐代

图 3-123 天蓝大流釉钧瓷标本·宋代

四、流 釉

中国古代颜色釉瓷器在流釉上不是很严重，流釉的现象有见（图 3-122），但显然不是主流，而且有着较多的时代和窑口限定性。有流釉的情况主要以明清以前的色釉瓷器为显著特征。明清时期景德镇窑生产的众多色釉瓷器，如矾红釉、茶叶末釉、茄皮紫釉、甜白、郎窑红、豇豆红、仿哥釉、仿汝釉、仿官釉、乌金釉、珊瑚红、胭脂水釉等基本看不到流釉现象。但在传统瓷器中常见（图 3-123），如绞哥釉、钧红釉、黄釉等瓷器之上流釉现象都比较严重。特别是钧窑瓷器的流釉相当严重。另外，兔毫及滴油釉瓷器在流釉上也比较严重。从精致程度上看，中国古代色釉瓷器釉层的均匀程度与精致程度的关系并不密切，可以说精致、普通、粗糙者都有见（图 3-124）。

图 3-124 有流釉的黄釉瓷注·唐代

图 3-126　基本观测不到杂质的茶叶末釉瓷瓶·清代

图 3-125　釉面微有杂质的青瓷碟标本·明代

五、杂　质

　　中国古代色釉瓷器在釉面上杂质的情况有见（图 3-125）。杂质是一种缺陷，从理论上看没有杂质的色釉瓷器是不存在的，只是杂质严重程度的不同而已。但色釉瓷器上杂质的出现与品类有着很大的关系：如传统的青、黑、白等瓷器就经常可以看到釉面有杂质的情况；但是景德镇窑生产的天蓝、酒蓝、孔雀绿釉、粉青、梅子青、黄釉、绿釉、矾红釉、茶叶末釉、茄皮紫釉、甜白、郎窑红、豇豆红、仿哥釉、仿汝釉、仿官釉、仿竹器、炉钧釉、乌金釉、珊瑚红、胭脂水、仿漆器等瓷器之上基本就观测不到杂质的存在（图 3-126）。

　　另外还有一个很重要的特征就是以官、民窑为区分。官窑瓷器中很少见到，无论是北宋官窑、南宋官窑、汝窑，还是景德镇窑，我们发现其釉面之上都很少见到有杂质的情况。从时代上看，中国古代色釉瓷器釉面有杂质的情况各个时代都有见（图 3-127），但显然是随着时代的发展而逐步变得轻，如唐宋时期釉面杂质显然常见。但这只是一个大的趋势，不能以某个窑口、以及个例来作比较。从精致程度上看，中国古代色釉瓷器釉层的均匀程度与精致程度的关系还是较为密切的。精致瓷器当中很少见，或者说是比较轻微；而主要以普通和粗糙的瓷器为多见，特别是粗瓷上最为常见（图 3-128）。

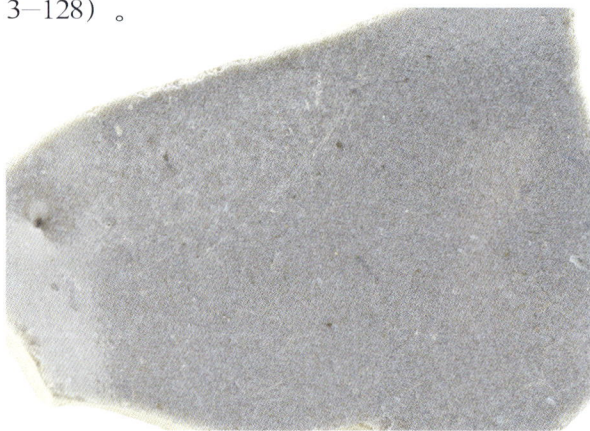

图 3-127　微有杂质的青瓷标本·宋代

图 3-128　釉面杂质明显的孔雀绿釉瓷器标本·宋代

第四节 施釉部位

一、从施满釉上鉴定

1. 东汉晚期瓷

东汉晚期瓷碗施满釉的情况很少见（图3-129）。从发掘出土的标本上看，几乎没有发现有通体施釉的碗，一般碗底为素胎，但不排除偶见的可能性。

2. 六朝时期瓷

六朝时期瓷碗在施釉上进一步精致化，施满釉的瓷碗大量涌现，我们来看一则实例"碗数量最多，均施满釉"（浙江省文物考古研究所，2001）。由此可见，六朝时期通体施釉瓷碗相当流行，特别是在越窑等当时的名窑瓷器中所占比例较大。从标本上看六朝施满釉瓷器多数也是精美绝伦之器，粗糙瓷器也见有满釉者，但数量很少。从墓葬出土情况来看，六朝施满釉瓷碗流行阶层多为上流社会，很少在市井和闹市之上使用。

图3-129 施满釉未烧制成功的青瓷碗·东汉晚期

3. 隋唐时期瓷

隋唐时期施满釉的瓷碗随着"南青北白"瓷业格局的形成，在数量上有进一步增加的趋势。这是因为，南方以越窑为代表的青瓷窑场依然延续着六朝瓷器烧造的传统，所以唐代很多青釉瓷器依然是通体施釉；而北方邢窑白瓷在这一点上似乎与越窑青瓷碗形成了共识，很多邢窑白瓷碗也都是通体施釉。但我们知道邢窑白瓷碗有三种类型，精致、普通、粗糙。并不是这三种白瓷碗都施满釉，而只有精致的白瓷碗个施有满釉。普通和粗糙的白瓷碗施加满釉的情况则很少，但也偶见有施满釉的情况。其规律性特征是依次递减，即精致白瓷最多、普通白瓷次之、粗糙白瓷最少。同样，这一规律适于其他诸多的瓷器品种，如，绞胎碗釉等（图3-130），越为精致的瓷器通体施釉的可能性越大，粗瓷反之。再者就是以造型为显著特征，如唐宋时期的一些束腰枕通体施釉者比较常见。

图 3-130 通体施黄釉的瓷枕·唐宋时期

图 3-131　施满釉青瓷标本·元代

图 3-132　施满釉汝窑瓷盘·宋代

4. 宋元时期瓷

宋元时期通体施釉的情况同样不是很常见（图 3-131），不过这一时期通体施釉的特征很明确，与前代相比也有变化。主要以窑口和造型为主，与前代有变化的是官窑瓷器多数是通体施釉，如宋带汝窑、钧官窑、北宋官窑、南宋官窑等。发现器物基本上都是通体施釉者，主要原因显然是为了防止划破宫廷内檀木和红木等名贵家具的桌面（图 3-132）。另外，就是造型上的原因，如一些特定的造型上常见通体施釉，如束腰枕一般都是通体施釉，显然这一点主要得益于其传统的延续。

5.明清时期瓷

明清时期通体施釉的颜色釉瓷器比较常见（图 3-133）。基本景德镇窑生产的绝大多数色釉瓷器都是施满釉，如，矾红釉、茶叶末釉、茄皮紫釉、甜白、郎窑红、豇豆红、仿哥釉、仿汝釉、仿官釉、乌金釉、珊瑚红、胭脂水釉瓷器等都是这样（图 3-134）。原因基本上同宋代一样，为了保护宫廷中名贵的家具。但显然颜色釉瓷器通体施釉已经形成了一种传统，无论官、民窑基本上都是通体施釉（图 3-135）。

图 3-133　施满茄皮紫釉的瓷器标本·清代

图 3-134　施满釉的白釉瓷碗·明代

图 3-135　施满釉的豆青釉标本·清代

二、从局部施釉上鉴定

1. 施半釉

东汉六朝、唐宋时期颜色釉瓷器施半釉的情况有见（图3-136），但主要以唐初最为常见。东汉六朝时期有见施釉不全的情况，但很少见施半釉的情况。

施半釉已成为唐代颜色釉瓷器最重要的特征之一。在唐初之时，可能是由于惜釉的原因，而到了后来逐渐就形成了一种传统。不过，唐代颜色釉瓷器施半釉的情况并不是绝对的，而只是视觉上的半釉，甚至有的距离半釉的实际尺寸还相差很远。从内外壁施半釉上看，一般情况下是内壁施全釉，外壁施加半釉，但也有见内外壁都施半釉的情况。另外，在唐代各色瓷器都有施半釉的情况，如白釉、黄釉、三彩、绞胎等（图3-137）。但我们见到的许多情况是，更多的施半釉的颜色釉瓷器较为粗糙，如许多粗糙的黄釉瓷器都是施加半釉。而邢窑的精致白瓷则很少见到施半釉的情况，一般都是施全釉。但并不是说精致的颜色釉瓷器就没有施半釉的情况，也有见精致的颜色釉瓷器施半釉，但这种情况比较少，而且这一点有相当的规律可循。即精致颜色釉瓷器和粗糙颜色釉瓷器在半釉特征上比例呈反比。在东汉六朝时期，施半釉的颜色釉瓷器主要是在民间市井之上流行，在上流社会流行的几率很小。从影响程度上看，施半釉的颜色釉瓷器是盛唐文化对唐初艰难岁月地铭记，它只属于盛唐文化，而不属于其他时代。随着唐代的结束，在宋元时期就很少见到施半釉的颜色釉瓷器了。

图3-136　局部施的绿釉高足炉·宋代

图3-137　施半釉的黄釉瓷罐·唐代

图 3-138　白瓷碗·宋代

图 3-139　外壁施红釉内壁白釉施的瓷器标本·清代

2.内　壁

颜色釉瓷器内壁几乎全部施釉，很少见有内壁不施釉的，但内壁不施全釉的情况倒是有见（图3-138），只是数量很少。这主要是由器物的功能，如碗的功能所决定的，因为无论是普通的盛器还是饮茶用具，其内壁是釉质实现功能的主要场所，所以内壁一般都施有满釉（图3-139）。这样既美观又大方。内壁施釉不全的情况以内壁施半釉为多见，而且多出现在唐代，而这显然只是唐代施半釉时尚的体现，并不代表其他。

3.外　壁

东汉晚期颜色釉瓷器外壁一般都施釉，但施满釉的情况很少见。从发掘出土的标本上看，施釉多近足部。六朝时期颜色釉瓷器外壁施釉的情况较为复杂，特征是外壁施全釉和未施全釉的情况并存。从数量上看，六朝时期外壁施全釉的数量有一定增加，但主要和施满釉的颜色釉瓷器并存。就是说，施全釉的颜色釉瓷器同时也是外壁施全釉的颜色釉瓷器。从窑口上看主要是越窑生产的精

图 3-140　外壁施满"类汝似钧"釉的瓷器标本·宋代

图3-141　腹部施大开片釉官窑香炉·当代仿北宋

致青瓷器，不过从总的数量上看并不占主流。未施全釉的情况较为复杂，六朝时期多没有规律性，有的外壁腹部以下都未施釉，但有的可能只是近足部未施釉。不过，从总的数量来看，还是外壁施釉近至足部的多一些。施半釉的情况也有见，但数量很少。隋唐时期颜色釉瓷器外壁施釉的特征同样是施全釉和未施全釉并存，外壁施全釉的器皿与施满釉的瓷器并存（图3-140），一般情况下都具有双重身份。而外壁未施釉的情况则表现出了全新的特点，即颜色釉瓷器逐渐向施半釉的特征靠拢，多数外壁未施釉的颜色釉瓷器都是施半釉，而其他的特征逐渐在减少。

　　4. 口沿唇部

　　颜色釉瓷器口沿施釉特征较为单一，基本上都施釉，未施釉者极少，而且一般都是原色釉，再二次上其他釉色的情况很少。

　　5. 腹　部

　　颜色釉瓷器腹部施釉特征较为简单,通常腹部都施釉(图3-141)。绝大多数东汉六朝、唐、宋颜色釉瓷器腹部均施釉。但也有见施釉仅至腹部的情况，或者是有一些颜色釉瓷器的上腹有釉，但下腹无釉。或者是流釉情况较为严重，大的流釉斑块自腹底开始流下，延伸至足部，但其他地方则无釉，这样的颜色釉瓷器以腹部施半釉的碗为常见。

6.近足部

颜色釉瓷器近足部施釉的情况比较复杂，可以说各个时代都常有见（图3-142）。有近足部施釉和未施釉两种情况。当然，近足部未施釉的情况也有很多，但通常一旦近足部不施釉，那么底足施釉的可能性很小。

图 3-142　施釉近圈足部的蓝釉瓷炉·清代

图 3-143　外足璧施釉而内足璧微施釉的青白瓷盏·宋代

7.足　部

颜色釉瓷器足部施釉特征较为清晰（图3-143）。足部施釉的情况常常伴随的是整个器皿都施加满釉；而足部未施釉的情况则比较复杂，如有的较为精致的邢窑玉璧足的瓷碗，所有的部位都施釉，惟独足部未施釉，其实这只是一种工艺的象征，并不是为了惜釉而设计。另外常见到的足部未施釉往往是伴随着底足均不施釉而言。从数量上看，足部未施釉的瓷器占绝大多数，但在精致瓷器中以足部施釉的情况为常见。

图 3-144　底部施釉的三足盂·唐代

8.底　部

颜色釉瓷器底部施釉与未施釉并存。从数量上看，东汉六朝时期底部施釉的颜色釉瓷器数量非常少，几乎可以说是不见。六朝时期底部施釉的颜色釉瓷器逐步增加，特别是在越窑精致瓷器中底部施釉的青釉瓷器越来越多。当然，其他粗质的颜色釉瓷器底部施釉的情况比较少。不过从绝对数量上来看，底部未施釉者远远大于底部施釉的情况。隋唐时期底部施釉的颜色釉瓷器数量相当丰富（图3-144），有许多颜色釉瓷器的底部都施釉。当然这和通体施釉的颜色釉瓷器有部分是并存的，也有相当多的颜色釉瓷器是底部施釉但其他部位未施釉的。如底部施釉而足部未施釉和近足部、足部都未施釉的情况，或者是施半釉的情况等。总之，从这些情况来看，隋唐时期颜色釉瓷器在底部施釉特征上逐渐向多元化发展，其影响十分深远。宋元时期基本延续唐代，而明清时期颜色釉瓷器在底部基本都施釉，很少见到不施釉的情况。

第四章　造　型

第一节　口　部

一、敞　口

颜色釉瓷器敞口的造型较为丰富（图4-1），从时代上贯穿于颜色釉瓷器始终。敞口顾名思义是指口部向外张的比较大，花口、椭圆口、四方口、长方形口等都属敞口的范畴。从衍生造型上看，如大敞口、小敞口、微敞口等。其中微敞口的造型就比较常见（图4-2），各个历史时期基本也都是这样。从器物造型上看，常见的二者有：碗、盘、碟、盆、钵、瓶、水注、坛、托子等，主要以碗、盘、碟等为常见。从功能上看，敞口的造型利于散热，主要为实用的功能，兼具有陈设装饰功能性特征。而且，官窑颜色釉瓷器显然二者结合得较为紧密。

图4-1　敞口青瓷标本·宋代

图4-2　敞口定窑白瓷碗·宋代

二、侈口

　　侈口是颜色釉瓷器中最为丰富的造型之一，规模巨大，在总量上有一定的量。从形制上看，侈口的颜色釉瓷器口部特征向外延伸得较甚，有一个向外侈的过程，囊括口部特征众多（图4-3），圆口、椭圆口、四方口、长方形口，以及诸多不规则口等都有见。从衍生造型上看比较强，如大侈口、小侈口、微侈口等都有见。从器物造型上看，常见的主要有碗、壶、碟、炉、水注、盘等。从比例上看差异性比较大，在各个时期都是大量出现，主要以碗、盘、碟、灯等为多见。从功能上看，侈口的造型在功能上主要以实用为主（图4-4），兼具有装饰的功能。景德镇窑生产的颜色釉瓷器显然在功能上二者结合得比较紧密。

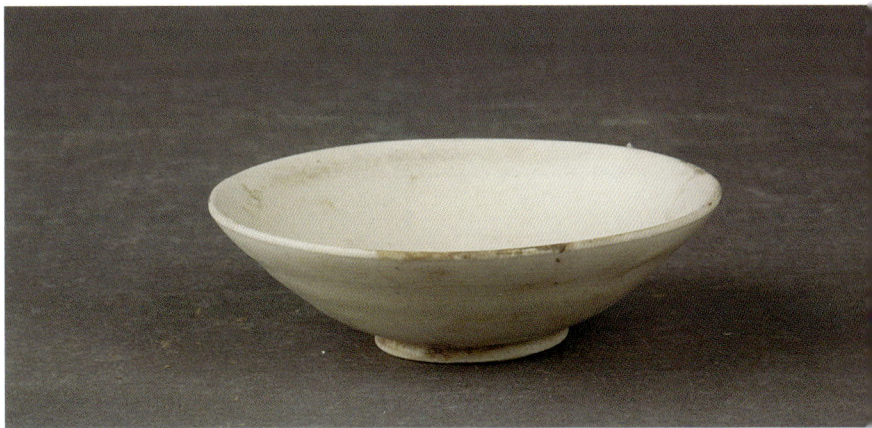

图4-3　侈口白瓷碗·宋代

图4-4　侈口黑定茶盏·宋代

图4-5　敛口黑瓷灯·明代

图4-6　敛口白釉珍珠地盂·明代

三、敛　口

敛口的造型在颜色釉瓷器中也比较常见（图4-5）。从形制上看，有一个内敛的过程，以直观视觉为显著特征。从衍生造型上看，以口微敛、大敛口、小敛口等为显著特征。从器物造型上看，颜色釉瓷器中碗、盘、碟、盏、盒、熏炉、瓶、灯等都常见，与侈口和敞口相比毫不逊色。从功能上看，敛口的功能决不是为了聚热而设计，主要以实用为主（图4-6），兼具有装饰的功能，但实用与装饰结合的程度主要以精致程度为显著特征，特别是官窑瓷器中的颜色釉瓷器在功能上结合得比较紧密，而民窑在这方面差一些。

四、花 口

花口的造型在颜色釉瓷器中也有见（图4-7）。从时代特征上看，以唐五代以及宋代为多见，其他时代很少见。从形制上看，花口是一个创作过程，常见的主要有葵花和莲花等。从衍生造型上看有限，如葵花口，可以是六瓣、十曲等，但总有个限度。从器物造型上看，常见的主要有碗、盘、碟、瓶等，以生活用品为主。从造型与精致程度上看，花口碗的造型多精致。从时代上看，花口颜色釉瓷器主要以五代、宋为多见，其他时代则为偶见。从功能上看，花口的功能犹如怒放的花瓣，呈现给人们的自然是一种视觉的享受，多数兼具实用与装饰的功能。一些低温色釉瓷器装饰功能更强。

五、直 口

直口的造型在颜色釉瓷器中经常可以看到，从总量上来看有一定的量。从形制上看，指的是笔直的口部特征，但并不是尺寸意义上的，而是以视觉为判断标准。从衍生造型上看主要有近直口、口微直、小直口、大直口等（图4-8），也是以视觉为判断标准。从器物造型上看，颜色釉瓷器中直口的造型有见，如碗、盘、壶、杯、瓶水注等，碗、盘显然不是直口的重点，主要以瓶、杯等为显著特征。从功能上看，直口的颜色釉瓷器多数为实用和装饰性功能的结合。

图 4-8 直口红釉瓷瓶 · 清代

图 4-7 花口青瓷标本 · 宋代

图4-9　子母口近实用三彩盒·唐代

图4-10　大口青釉瓷碗·宋代

六、子母口

子母口的造型在颜色釉瓷器中有见，但数量并不是很丰富，总量有限。从形制上看，子母口多是指一件器物的盖和口的扣合过程。从衍生造型上看，子母口的造型要求规整，衍生等于变形，所以很少见到衍生性造型。从器物造型上看，颜色釉瓷器中的子母口的器形特征很明确，以盒、炉、钵等为显著特征，其中以盒为最常见（图4-9）。从时代上看，颜色釉瓷器盒最为鼎盛的年代主要是唐、宋时期的颜色釉瓷器，明、清时期景德镇窑烧制的瓷器当中也有见，但数量不是太多。从功能上看，颜色釉瓷器上子母口实用与装饰的功能兼具，多为妇女盛放胭脂之类的粉盒，实用性很强，但显然从功能的角度还要求粉盒精巧，工艺精湛。

七、大　口

大口的造型在颜色釉瓷器中也十分常见（图4-10）。从形制上看，大口主要是相对于造型而言。如斗笠盏的口部尺寸或许不是最大，但如果与小圈足和小平底相比，显然口部是大口。因此，大口主要是视觉上的概念。从器物造型上看，大口的颜色釉瓷器主要有碗、盘、碟、盆、盏、罐等，有些造型大口是注定的，如盆的造型，无论哪一个时代的颜色釉瓷器，其口部都是大口。从功能上看，大口颜色釉瓷器的功能性特征较为明显，兼具有实用与装饰的双重概念，但在结合的紧密程度上，官窑颜色釉瓷器结合得比较紧密，如景德镇官窑生产的矾红釉、茶叶末釉、茄皮紫釉、甜白、郎窑红、豇豆红、仿哥釉、仿汝釉、仿官釉、炉钧釉、乌金釉、珊瑚红釉、胭脂水釉、仿竹器、仿漆器等（图4—11）。大口器物造型在概念上显然装饰和实用的功能都和很强，而民窑显然在紧密程度上容易出现问题。

八、小　口

小口颜色釉瓷器有见，因很多器物造型注定是小口。从形制上看，小口的概念并非是几何意义上的小口，判断的标准主要是视觉。从理论上看，小口的造型可以包含椭圆口、四方口、长方形口，以及诸多不规则口等。但从发掘的情况来看，主要以圆口为主。从器物造型上看，常见的主要有瓶、壶、盂等（图4—12），种类并不是十分丰富，但比例很高。如瓶的造型基本上都是小口，大口的造型不是很多。从功能上看，集聚实用与装饰的双重功能，二者在颜色釉瓷器上的融合多完美。

图4—11　大口郎窑红高足杯·当代仿清

图4—12　小口白瓷罐·宋代

图 4-13 撇口青瓷标本·宋代

图 4-14 撇口青瓷标本·宋代

九、撇 口

撇口的造型墓葬和遗址中都有出土，在总量上有一定的量，是颜色釉瓷器中的重要口部造型之一（图 4-13）。从形制上看，有一个外撇的过程，而且这一过程非常直观，主要以视觉为判断标准。从衍生造型上看，十分丰富，如微撇口、外撇较甚等常见。从器物造型上看，以碗、盘、碟、瓶等为显著特征（图 4-14）。从时代特征上看，不是很明显，各个历史时期都有见。从功能上看，撇口的颜色釉瓷器在功能特征上明确，实用与装饰的功能都有，而且一般都能较为紧密地结合在一起。

十、盘 口

盘口的造型在颜色釉瓷器中有见（图 4-15），不过比较少见，被限定在一些专有的器皿之上，如盘口瓶等，数量有限。从时代上看，唐宋时期多一些，其他时期则很少。从形制上看，其实并非是真正意义上的如盘形，多数是视觉意义上的。从衍生造型上看，多限制在大盘口、小盘口，以及近盘口之上，其他的衍生性造型并不是很常见。从器物造型上看，拥有盘口的造型比较鲜见，以壶、钵、瓶等为常见。从功能上看，比较明显，如在瓶和壶之上主要着重于实用与装饰功能的结合。

图 4-15 盘口白瓷瓶·唐代

十一、喇叭口

喇叭口的造型在颜色釉瓷器中不算丰富，只是有见而已。从形制上看，喇叭的形状很容易辨认，较为直观（图4-16），并不复杂，衍生性不是很强，主要是大小上的区别，如大喇叭口和小喇叭口等。从器物造型上看，颜色釉瓷器多被限制在特定的器形上，如壶、瓶等最为常见。从功能上看，喇叭口颜色釉瓷器主要体现了实用与装饰性的结合。

图 4-16 喇叭口青瓷唾壶·宋代

第二节　唇　部

图 4-17　圆唇青瓷盏标本·宋代

一、圆　唇

圆唇在颜色釉瓷器唇部造型中常见（图 4-17），各个历史时期都有见，所占比例比较大。从形制上看，圆唇的造型非常直观。从衍生造型上看，圆唇存在着大量的衍生造型，如圆唇较薄、圆唇较厚、圆方唇、卷圆唇、近圆唇等常见（图 4-18），通常也是以视觉为判断标准。从器物造型上看，颜色釉瓷器中圆唇的造型十分常见，以碗、钵、盏等为显著特征。从器物造型上看，主要以壶、盆、盘、灯、瓶等为显著特征，从绝对数量上看以碗为最多。从功能上看，兼具实用与装饰两种功能，二者紧密地结合在一起。

图 4-18　近圆唇青瓷盏标本·宋代

二、方 唇

方唇的造型墓葬和遗址中都有见（图4-19），各个历史时期都有见。从形制上看，一般以视觉为标准。从衍生造型上看常见的主要有近方唇、厚方唇、薄方唇、方圆唇等（图4-20），较为直观，以视觉为先导。从器物造型上看，颜色釉瓷器中方唇常见的主要有碗、壶、盆、杯、炉、熏炉等，其中盆的造型比较丰富。从功能上看，方唇的颜色釉瓷器在功能上集聚实用与装饰的双重功能。

图4-19 方唇绞胎瓷罐·唐代

图4-20 方圆唇蓖麻纹褐釉瓷罐·明代

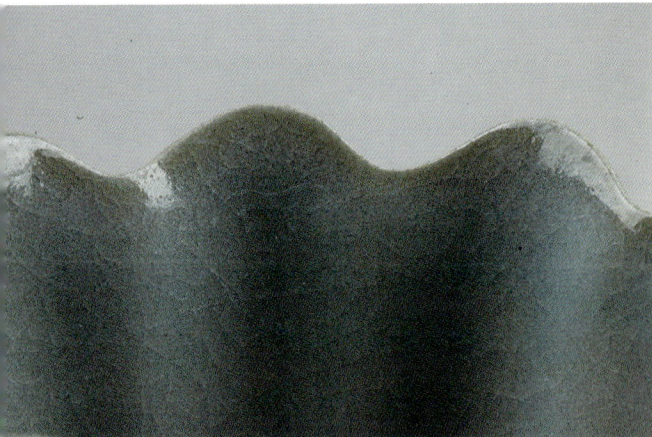

图 4-21 尖唇花口汝瓷杯·当代仿宋

三、尖 唇

尖唇是颜色釉瓷器中最常见的造型，从总量上看显然是颜色釉瓷器中较为丰富的唇部造型之一（图 4-21）。从形制上看，非常容易理解，尖状的、挺拔的、俊秀的，判断的标准主要是人们的视觉。从衍生性造型上看比较强，如尖圆唇、外侈、外卷等情况都有见。从器物造型上看，最为常见的造型有碗、壶、托子、瓶、盘等（图 4-22）。由此可见，尖唇的颜色釉瓷器器形十分丰富，但主要以碗为最常见。从功能上看比较复杂，侧重于实用与装饰的结合。

图 4-22 尖唇白釉瓷杯·清代

四、尖圆唇

　　尖圆唇的颜色釉瓷器十分常见（图4-23），从时代上看，特征不是很明显，各个时期都有见，在数量上是出于绝对的主流，这一点我们在鉴定时应注意分辨。从形制上指的是尖唇和圆唇的结合，完美地融合在一起，可以说达到了最佳状态，广为流行。从衍生造型上看，多比较规整，衍生性不是很常见，这也从一个侧面说明了尖圆唇在造型上的合理性。从器物造型上看，颜色釉瓷器中尖圆唇的造型最为常见（图4-24），以碗、盘、灯、炉、盏等为常见。从流行程度上看，尖圆唇的颜色釉瓷器无论官、民窑都有烧造。从功能上看，尖圆唇的造型集聚实用与观赏的功能，并且二者结合的尤为紧密。

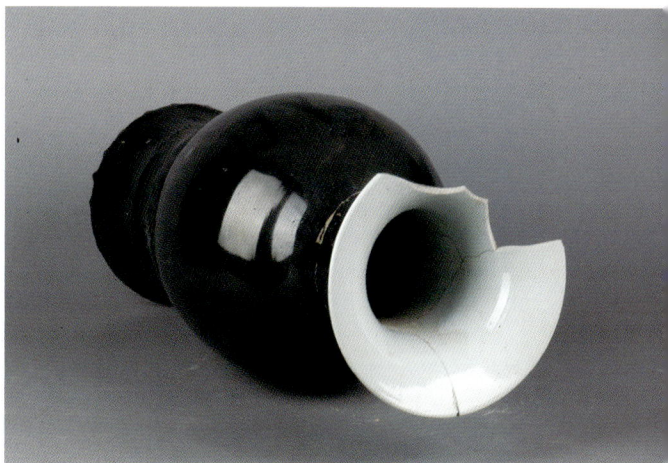

图 4-23　尖唇黑釉瓷瓶·明代

图 4-24　尖圆唇黄褐釉瓷器标本·唐代

图 4-25 近平唇青瓷标本·元代

五、平 唇

平唇的颜色釉瓷器十分少见。从总量上看，平唇的颜色釉瓷器数量非常之少，基本上属于稀有的唇部造型。从形制上看，顾名思义，就是唇部是平面的，几何意义上的平唇不存在，多以视觉为判断标准。从衍生造型上看，平唇的衍生性造型有见（图 4-25），但主要侧重于近平唇和平唇外卷、外侈等。从器物造型上看，颜色釉瓷器中平唇的造型，如香炉、壶、碗、熏炉、瓶、盆等都常见，可见，器物造型并不是很多。从功能上看，主要以实用为主，兼具装饰的功能。

六、厚 唇

厚唇的颜色釉瓷器时常有见（图 4-26），但主要以明、清以前的颜色釉瓷器为主，明清时期景德镇官窑生产的诸多颜色釉瓷器品种很少见厚唇。从形制上看，厚唇是一个笼统的概念，通常以视觉为判断标准。从衍生造型上看，十分丰富，几乎所有的造型都有可能是厚唇的，如平唇、圆唇、折唇、尖圆唇等。从器物造型上看，主要以碗、香炉、碟、壶、钵、杯等为主。从功能上看，厚唇主要以实用的功能为主（图 4-27），兼具装饰性的功能，但有些明器和低温釉瓷器例外。

图 4-26 厚唇黑瓷瓶·明代

图 4-27 厚唇紫釉灯·清代

图 4-28　薄唇青瓷盏标本·宋代

七、薄　唇

薄唇的造型十分常见（图 4-28），特别是景德镇窑生产的诸多颜色釉瓷器都是这样。在传统的诸多色釉瓷器当中也是这样。由此可见，薄唇显然为颜色釉瓷器当中最重要的唇部造型。从形制上看，薄唇主要以人们的视觉观测为标准，并不是简单的尺寸概念。从器物造型上看，几乎囊括所有的器物造型，如碗、盘、碟等餐具之上常见，罐、钵、瓶、盆等器皿之上也会看到薄唇，只是在数量上有不均衡的表现而已，主要以碗、盘、碟等为显著特征。从概念上看，兼具实用与装饰性的双重功能。

图4—29 平沿白瓷盂·唐代

第三节 沿 部

一、平 沿

平沿的造型在颜色釉瓷器中常见（图4—29），在墓葬和遗址之中都有出土了，在总量上有一定的量，但显然不占主流地位。从形制上看就是平坦的沿部，比较直观，显然只是视觉上的盛宴，而不是真正几何意义上的平沿。从衍生造型上看，近平沿、微平沿、平沿外折、窄平沿、宽平沿、平沿微折等常见（图4—30），可见比较丰富。从器物造型上看，颜色釉瓷器中平沿的造型在碗、香炉、钵、盆、瓶、壶等器皿上常有见。从功能上看，主要是以实用和装饰的结合为主。

图4—30 平沿外折天蓝釉瓷器标本·宋代

二、折 沿

折沿是颜色釉瓷器中最为常见的造型
之一，墓葬和遗址之中都有出土，只是在
总量上不是很常见。从形制上看，概念十
分明了，就是沿部有明显的转折，造型比
较直观，人们的视觉可以很直接观察到。
所能囊括的沿部特征有花口沿、撇沿、薄
沿、厚沿、敛沿、卷沿、敞沿、平沿等（图
4—31），可谓是丰富至极。从衍生造型上看，
进一步加剧，斜折沿、平折沿、折沿外卷、
折沿下斜、宽平折沿、小折沿等显然都是
其衍生性造型。由此可见，颜色釉瓷器在
折沿的衍生性造型上更为丰富。从器物造
型上看，常见的主要有碗、炉、灯、鼎、钵、瓶、
盘、盏等（图4—32），可见种类相当丰富。
不过以鼎、钵、瓶、灯等所占比例比较大。
从功能上看，颜色釉瓷器折沿的功能多数
秉承了实用与装饰的结合。

图 4—32 折沿白瓷盂·宋代

图 4—31 折沿官窑淡青釉香炉·当代仿宋

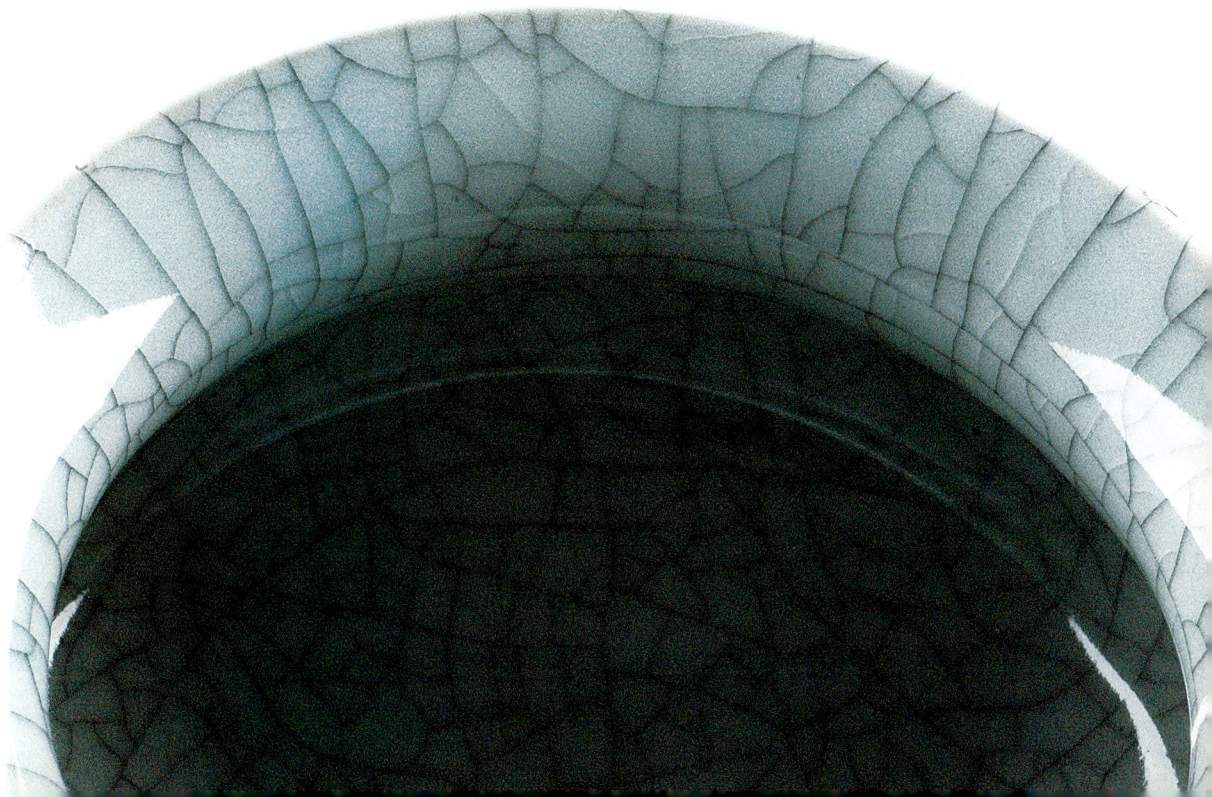

三、卷 沿

卷沿是颜色釉瓷器中最为常见的造型之一，墓葬和遗址内都有见，但总量不是很大。从形制上看比较直观，非常明显，主要以视觉为判断标准。从衍生造型上看比较丰富，如微卷沿、唇沿外卷、盖卷沿、弧卷沿、小卷沿、内卷沿等都有见（图4-34）。从器物造型上看，卷沿是颜色釉瓷器中最为常见的造型之一，如碗、注、碟、盘、瓶、壶等之上都常见。从功能上看，具有相当强的陈设和观赏把玩的功能，如在执壶、壶、炉、瓶等颜色釉瓷器上多有使用，显然说明了其装饰性的功能较强。

图4-33 花口外卷沿绿釉瓶·明代

图4-34 花口卷沿白釉瓷瓶·宋代

图 4-35　厚沿黄褐釉瓷器标本·唐代

图 4-36　厚沿孔雀绿釉碟·宋代

四、厚　沿

　　厚沿的造型在颜色釉瓷器中也经常可以看到（图 4-35），但从总量上看，并不是很多。从形制上看，厚沿的造型较为直观，视觉可以直接观测得到，是人们的一种感觉。厚沿几乎囊括了所有的沿部特征，如花口沿、撇沿、敛沿、卷沿、敞沿、折沿、平沿等（图 4-36）。从衍生造型上看比较弱。从器物造型上看，几乎涉及所有的造型。从功能上看，兼具实用与装饰结合的功能。

五、撇 沿

撇沿的造型在颜色釉瓷器中常见，所占比例不大。从时代上看，以宋代为主（图 4–37），其他时代有见，但数量很少。从形制上看，撇沿的造型有一个向外撇的过程，有着很高的艺术造诣。从衍生造型上看，以程度为显著特征，如微撇沿、外撇较甚等都常见。从器物造型上看，以碗、盘、盏、瓶、罐等为显著特征（图 4–38）。撇沿在颜色釉瓷器上的功能十分具体，装饰的成分显而易见，兼具有实用的功能。

图 4–37 喇叭形撇沿孔雀绿釉觚 · 明代

图 4–38 青瓷花口撇沿标本 · 宋代

图 4-39 花口沿绿釉瓷瓶·明代

六、花口沿

花口沿的造型是颜色釉瓷器中经常可以看到的，在总量上有一定的量（图 4-39）。从形制上看，主要以视觉为判断标准，五瓣花口沿很简单，就是有五个花瓣。从衍生造型上看，不是很丰富。从器物造型上看，特征不是很明确，各种器物都有可能见到，但常见的主要有碗、盘、瓶等。从功能上看，花口沿在颜色釉瓷器上的装饰性很强，具有较强的陈设和观赏功能，实用与装饰功能结合得非常紧密。

图 4-40 鼓腹蓝釉罐·宋代

第四节 腹 部

一、鼓 腹

鼓腹是颜色釉瓷器中最常见的造型之一（图 4-40），数量丰富，总量巨大，在所有的腹部造型中所占比例很大。从形制上看简洁明快，造型直观。从衍生造型上看，衍生性很强，如微鼓腹、近鼓腹、扁鼓腹、鼓腹下垂、鼓腹内收、小鼓腹、大鼓腹、弧鼓腹等都有见。从器物造型上看，以碗、壶、盘、碟、钵、水注、熏炉等为常见（图 4-41）。其中，从绝对数量上看以碗的造型为最多。从功能上看，兼具实用与装饰的双重功能。

图 4-41 鼓腹孔雀绿釉香炉·明代

二、折 腹

折腹的造型在颜色釉瓷器中比较常见（图 4—42），但从总量上看所占比例不是太大。从形制上看，指的就是腹部有折痕，很直观。从衍生造型上看，比较丰富，常见的主要有近折腹、中部略折、转折明显、下腹内折、折腹斜收等。从器物造型上看，折腹的器物造型在颜色釉瓷器中都十分常见，如碗、盏、盘、盒、炉等。从功能上看，装饰与实用的功能都有见（图 4—43），"取异"的成分比较大，以造型为饰的情况很常见。

图 4-42 折腹黑瓷瓶·宋代

图 4-43 折腹黑瓷瓶·明代

图 4-44 弧腹黄釉瓷碟·清代

图 4-45 弧腹甜白釉茶盏·清代

三、弧 腹

在颜色釉瓷器中弧腹的造型最为常见。从形制上看，指的就是弧度均匀的腹部特征，流畅的腹壁受到人们的喜欢，浅腹、深腹等诸多腹部造型都被纳入麾下。从衍生造型上看，常见的主要有近弧腹、内弧腹、弧腹近斜直、浅弧腹、斜弧腹等（图 4-44）。可见，颜色釉瓷器弧腹的造型真的是异常繁多，异彩纷呈。从器物造型上看，主要有碗、灯、碟、鼎、盒、盆、瓶、托子等（图 4-45）。由此可见，颜色釉瓷器中弧腹的器物造型是何其丰富。

四、浅 腹

浅腹的造型在颜色釉瓷器中常见（图 4—46），墓葬和遗址都有出土，从总量上看，比较大，为颜色釉瓷器腹部造型的重要一类。从形制上看，主要是相对于深而言，没有具体的尺寸标准。从衍生造型上看，常见的主要有浅腹斜收、浅腹微弧等（图 4—47），可见并不是很多。从器物造型上看以碗、盘、碟、灯等为常见。

图 4—46 浅腹孔雀绿釉瓷碟·宋代

图 4—47 浅腹粉青釉瓷盘·清代

图 4-48 深腹月白釉碗·宋代

五、深 腹

深腹的造型在颜色釉瓷器中十分常见(图4-48)。从总量上看,深腹的颜色釉瓷器在腹部造型中比例并不是特别的重。从形制上看,深腹的形制并不复杂,同样是一个腹部深浅的概念,以视觉判断为标准。从衍生造型上看,比较常见,如深腹内收、深直腹、斜直略深等都有见。从器物造型上看,以碗、坛、香炉、瓶等为常见(图4-49),而盘、碟等造型之上基本不见。

图 4-49 深腹红釉瓷尊·清代

图 4-50 平底青瓷标本·元代

第五节 底 部

一、平 底

平底是颜色釉瓷器底部造型的主要形式（图 4-50），源自于颜色釉瓷器实用器皿的功能。如碗、盘、碟要想实用，显然应该是平底。从衍生性上看比较丰富，从大小上可以衍生成大平底、小平底，从内凹与微凸上也可以衍生，总而言之是相当复杂。从数量上看，平底的颜色釉瓷器在数量上基本上占据了颜色釉瓷器底部特征的大部，在总量上无以伦比。从器物造型上看，平底的颜色釉瓷主要以碗、盏、盘、罐、瓶、盆、炉等为主，基本上涉及到除圜底以外所有的盛器。从精致程度上看，精致、普通、粗糙的颜色釉瓷器都有见（图 4-51），并没有过于规律性的特征。

图 4-51 小平底黑釉茶盏·宋代

图 4-52 圈底绿釉香炉·元代

二、圈 底

圈底造型的颜色釉瓷器不是很常见（图 4-52），多以 1～2 件为多，数量很少。概念比较直观，像现在的锅底一样，只是在特定的器物造型上出现，如颜色釉瓷香炉等。从时代上看，没有过于规律性的特征，各个时代都有见。从精致程度上看，圈底的颜色釉瓷器并没有显著的特征，精致、普通、粗糙的颜色釉瓷器都有见。

第六节　圈　足

颜色釉瓷器在足部特征上十分明确，主要是以圈足为显著特征（图4-53）。但圈足是一个较大的概念，因为标准的圈足造型是相对的，也是虚幻的，具体到圈足的造型主要是各种各样的衍生性造型，如高圈足、矮圈足、宽圈足、窄圈足、喇叭形圈足、八棱形圈足、圈足外撇、圈足内凹、假圈足等，由此可见，衍生性造型十分丰富。从总量上，各种衍生性圈足造型的规模比较大，在颜色釉瓷器的总量中占据第一位，为重要的足部造型。

图4-53　圈足青白釉色瓷斗笠盏标本·宋代

从形制上看，圈足及衍生性造型在足部特征上比较明确，以简洁明快为显著特征，以视觉为判断标准。如高圈足的概念比较明晰，就是较高的圈足，并没有具体的尺寸特征。而且圈足的衍生性造型也可以衍生，像高圈足就还可以衍生成较高圈足、高圈足外撇、喇叭形高圈足、直高圈足等情况（图 4-54）。看来圈足在衍生性造型上的确是比较丰富。从时代上看，圈足及衍生性造型在时代特征上并不是很明显，各个时代基本上都有见。从官、民窑上看，基本也是这样，无论官窑还是民窑在圈足的造型上早已成熟。从窑口上看，圈足在窑口上特征较为明显，如建窑生产的兔毫釉盏足部基本上都是小圈足。从精致程度上看，没有过于规律性的特征。

图 4-54　喇叭形高圈足孔雀绿釉觚·明代

第五章　识市场

第一节　逛市场

一、国有文物商店

国有文物商店收藏的颜色釉瓷器具有其他艺术品销售实体所不具备的优势，一是实力雄厚；二是古代颜色釉瓷器数量较多；三是瓷器鉴定专业人员多；四是在进货渠道上层层把关（图5-1）；五是国有企业集体定价，价格比较适中。国有文物商店是我们购买颜色釉瓷器的好去处。基本上每一个省都有国有的文物商店，分布较为均衡（图5-2）。下面我们具体来看一看表5-1。

图5-1　至纯至美的浅淡玫瑰紫釉碗（三维复原图）·宋代

表5-1　国有文物商店颜色釉瓷器品质状况

名称	时代	品种	数量	品质	体积	检测	市场
颜色釉瓷器	东汉晚期	上虞窑	多见	普／粗	大小兼备	通常无	国有文物商店
	六朝	德清窑	多见	精／普／粗	大小兼备	通常无	
	隋唐五代	邢窑	多见	精／普／粗	大小兼备	通常无	
	宋元	建窑	多见	精／普／粗	大小兼备	通常无	
	明清	景德镇窑	多见	精／普／粗	大小兼备	通常无	
	民国	景德镇窑	多见	精／普／粗	大小兼备	通常无	

图5-2　三彩碗（三维复原图）·唐代

　　由表5-1可见，从时代上看，国有文物商店古代颜色釉瓷器有见（图5-3），东汉晚期、六朝时期、隋唐五代时期、宋元时期、明清时期、民国时期都有见。青瓷和黑瓷最早产生于东汉晚期，直至明清，是老百姓日常生活当中的用具（图5-4）。白瓷最早产生于隋代，唐代邢窑达到鼎盛，宋代定窑也异常繁荣，直至明清，同样是日常生活用具，在民间广泛使用。钧红（图5-5）绞胎釉（图5-6）、三彩釉（图5-7）、哥釉（图5-8）、油滴釉（图5-9）、兔毫釉（图5-10）、天蓝釉（图5-11）、天青釉、月白釉（图5-12）、紫釉、褐釉、酱釉、孔雀绿釉（图5-13）、粉青、梅子青、黄釉、绿釉、矾红釉、茶叶末釉、茄皮紫釉、甜白、郎窑红、豇豆红、仿哥釉、仿汝釉、仿官釉、仿竹器、炉钧釉……犹如一列时空列车缓缓向我们驶来，映红了历史的天空（图5-15）。

图5-3　经济价值较高孔雀绿釉瓷瓶·宋代

图 5-4　闪烁着非金属淡雅光泽的黑中泛紫釉瓶·明代

图 5-5　鲜亮的玫瑰紫釉钧瓷标本·宋代

图 5-6　精美绝伦的黄釉瓷器·唐代

图 5-7 三彩釉武士俑·唐代

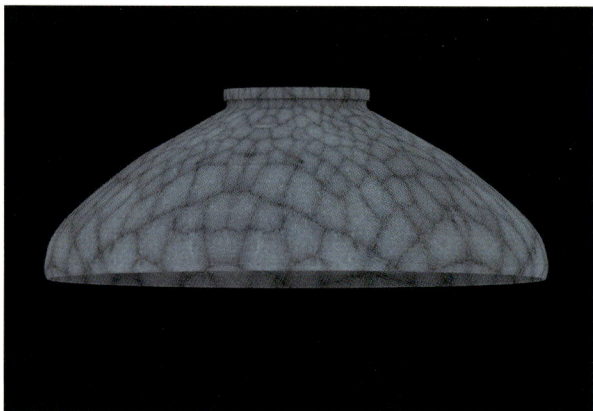

图 5-8 哥窑瓷碗（三维复原图）·宋代

图 5-9 建窑油滴釉瓷器标本·宋代

图 5-10　精美绝伦的建窑兔毫釉盏·宋代

图 5-13　小口孔雀绿釉梅瓶·宋代

图 5-11　天蓝釉钧瓷残片标本·宋代

图 5-12　月白釉类似汝钧釉瓷器标本·宋代

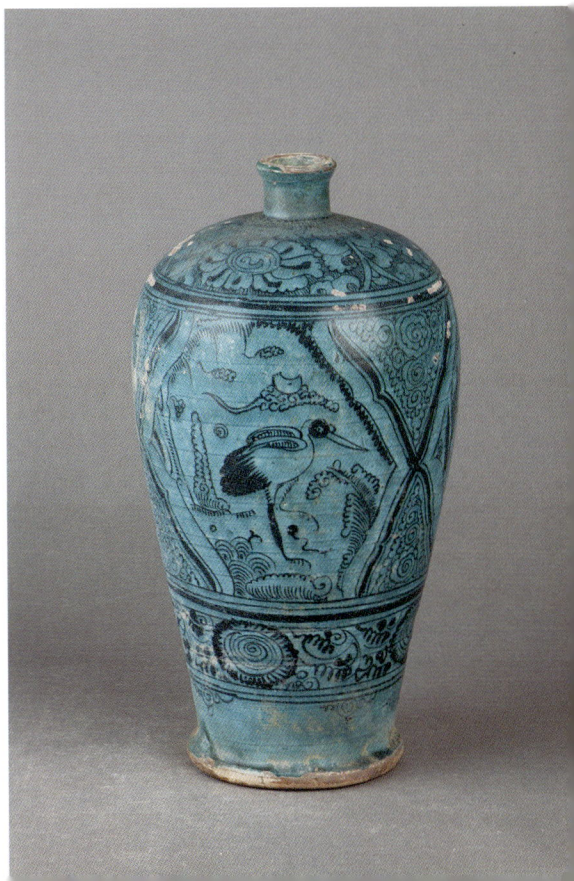

图 5-14　实用三彩黄釉标本·唐代

图 5-15　甜白瓷盖碗·明代

总之，各个时代几乎都有自己的颜色釉瓷器，而这些在国有的文物商店内都显现了出来。从窑系上看，大多数颜色釉瓷器没有能够形成窑系，如黑瓷自始至终并未形成瓷窑系统，哥釉、绞胎、黄釉、兔毫、油滴釉等（图5-16），只有少部分颜色釉瓷器形成了巨大窑系，在数个时代里纵横驰骋，如白瓷自隋代产生以后，经唐代迅猛发展，唐代出现了刑窑，北宋时期产生了著名的定窑。定窑白瓷以极低的价格、极优的品质通销全国，实质上形成了瓷窑系统，影响十分深远（图5-17），元明清包括民国白瓷基本上都还是属于定窑系统的延续。从品质上看，中国古代颜色釉瓷器在品质上精致、普通、粗糙者都有见，主要是以窑口性质划分，官窑生产的颜色釉瓷器以精致为主，而民窑生产的颜色釉瓷则是以普通、甚至粗糙者为主，精致者有见（图5-18）。从体积上看，国有文物商店内的颜色釉瓷器在体积上大小不一，特征比较随意化。但官窑器显然是以小器为多见。从检测上看，无论哪个时代的颜色釉瓷器通常都没有什么检测证书，对于瓷器的行规就是凭借自己的眼力，因此把玩鉴定要点是关键。不过，文物商店内的颜色釉瓷器伪器很少（图5-19），因为这事关国有文物商店的信誉和鉴定能力问题。

图 5-16 光泽淡雅的汝窑瓷瓶局部·当代仿宋

图 5-17　精致象牙白釉瓷碗·宋代

图 5-18　精美绝伦的喇叭口白瓷唾壶·唐代

图 5-19　花形腹黄釉瓷碟·宋代

二、大、中型古玩市场

大、中型古玩市场是颜色釉瓷器销售的主市场（图5-20），如北京的琉璃厂、潘家园等以及郑州古玩城、兰州古玩城、武汉古玩城等都属于比较大的古玩市场，集中了很多颜色釉瓷器销售商，像北京报国寺市场只能算作是中型的古玩市场。下面我们具体来看一下表5-2。

表 5-2　大、中型古玩市场颜色釉瓷器品质状况

名称	时代	品种	数量	品质	体积	检测	市场
颜色釉瓷器	东汉晚期	上虞窑	多见	普／粗	大小兼备	通常无	大中型古玩市场
	六朝	德清窑	多见	精／普／粗	大小兼备	通常无	
	隋唐五代	邢窑	多见	精／普／粗	大小兼备	通常无	
	宋元	建窑	多见	精／普／粗	大小兼备	通常无	
	明清	景德镇窑	多见	精／普／粗	大小兼备	通常无	
	民国	景德镇窑	多见	精／普／粗	大小兼备	通常无	

图 5-20　定窑大口白瓷碗·唐代

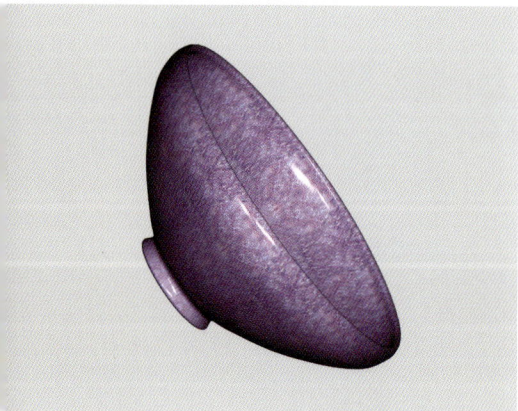

图5-21 造型规整丁香紫釉钧瓷碗（三维复原图）·宋代

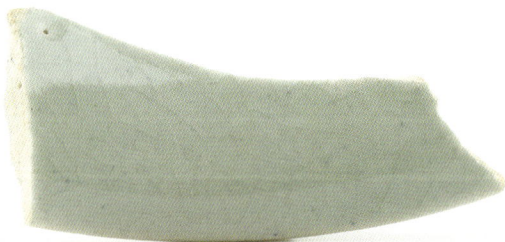

图5-22 精致青瓷标本·宋代

由表5-2可见，从时代上看，大、中型古玩市场上的颜色釉瓷器（图5-21），东汉晚期、六朝、隋唐五代、宋元、明清、民国都有见，各个时代都有见（图5-22）。从窑口上看，大、中型古玩市场的颜色釉瓷器在窑口上并不复杂，不同的颜色釉瓷器对应的是不同的窑口。如兔毫盏对应的窑口十分清晰，就是建窑（图5-10）；而钧红对应的就是钧窑，浇黄对应的就是景德镇窑等。

从数量上看，东汉晚期、六朝、隋唐五代、宋元明清、民国时期的颜色釉瓷器在大、中型古玩市场内十分常见，不同的颜色釉瓷器在数量上不同，如汝窑青瓷数量就特别的少，而龙泉窑青瓷数量就特别的多。总的来看，具有官窑性质的颜色釉瓷器数量整体较少，而民窑场生产的颜色釉瓷器在数量上通常较为普遍（图5-23）。从品质上看，大中型古玩市场上的颜色釉瓷器精致、普通、粗糙者都有见（图5-24），但不同时期、不同窑口、不同性质的颜色釉瓷器在品质上有所不同（图5-25）。

图5-23 略有变形的孔雀绿釉盘·宋代

图 5-24　绿釉瓷器残片标本·宋代

图 5-25　完好无损的白瓷碗·唐代

　　从体积上看，大、中型市场内各个时代的颜色釉瓷器大小兼备，在体积上特征并不是很明显。不过，官窑瓷器基本上以小器为主，无论汝窑还是景德镇窑都是这样（图 5-26）。从检测上看，各个时代的颜色釉瓷器基本上没有经过专家检测，需要自己判断真伪。

图 5-26　"尽善尽美"汝窑瓷器标本·宋代

图 5-27　猪油白釉白瓷碗残件·唐代

三、自发形成的古玩市场

这类市场三五户成群，大一点的几十户，不是很稳定（图5-27），有时不停地换地方，但却是我们购买颜色釉瓷器的好去处，我们具体来看一下表5-3。

表 5-3　自发古玩市场颜色釉瓷器品质状况

名称	时代	品种	数量	品质	体积	检测	市场
颜色釉瓷器	东汉晚期	上虞窑	多见	普／粗	大小兼备	通常无	自发古玩市场
	六朝	德清窑	多见	精／普／粗	大小兼备	通常无	
	隋唐五代	邢窑	多见	精／普／粗	大小兼备	通常无	
	宋元	建窑	多见	精／普／粗	大小兼备	通常无	
	明清	景德镇窑	多见	精／普／粗	大小兼备	通常无	
	民国	景德镇窑	多见	精／普／粗	大小兼备	通常无	

由表5-3可见，从时代上看，自发形成的古玩市场上的颜色釉瓷器各个时代都有见（图5-28），但真伪难辨，想要淘宝，需要具有很高的水平。

从窑口上看，自发形成的古玩市场上的颜色釉瓷器在窑口上比较明确，不同种类的颜色釉瓷器归类于不同的窑口（图5-29），黑定归于定窑，"蚯蚓走泥丸"的窑变色彩归于钧窑，等等。

图 5-28　天蓝釉钧瓷碗·宋代

图 5-29　胭脂红釉钧瓷标本·宋代

图 5-30 黑釉瓷瓶·金代

从数量上看，颜色釉瓷器在数量上的特征十分复杂。不同的颜色釉瓷器在数量上各有不同（图5-30），但总的来看，具有官窑性质的颜色釉瓷器在数量上比较少见；而具有民窑性质的颜色釉瓷器则是比较常见。

从品质上看，中国古代颜色釉瓷器精致、普通和粗糙者并存，如建窑瓷器中的兔毫釉瓷器就可以分为精致、普通、粗糙3个层次（图5-31）。但如果是官窑瓷器可能就不同了，如北宋汝窑瓷器都是精美绝伦之器，粗糙者几乎不见。

从体积上看，由于颜色釉瓷器是人们日常生活用具，所以大小兼备，在市场上的表现也是这样（图5-32）。

从检测上看，这类自发形成的小市场上的瓷器多数没有经过专家长眼，基本上靠自己的鉴赏能力，当然假的很多，应提高警惕。

图 5-31 普通兔毫釉瓷器标本·宋代

图 5-32 流釉明显褐釉瓷枕·金代

四、网上淘宝

网上购物近些年来成为时尚，同样网上也可以购买颜色釉瓷器（图 5-33）。上网搜索会出现许多销售颜色釉瓷器的网站，下面我们通过表格具体看一下表 5-4。

表 5-4　网络市场颜色釉瓷器品质状况

名称	时代	品种	数量	品质	体积	检测	市场
	东汉晚期	上虞窑	多见	普／粗	大小兼备	通常无	
	六朝	德清窑	多见	精／普／粗	大小兼备	通常无	
颜色釉瓷器	隋唐五代	邢窑	多见	精／普／粗	大小兼备	通常无	网络市场
	宋元	建窑	多见	精／普／粗	大小兼备	通常无	
	明清	景德镇窑	多见	精／普／粗	大小兼备	通常无	
	民国	景德镇窑	多见	精／普／粗	大小兼备	通常无	

图 5-33　稠密黄釉瓷寿桃·明代

图 5-34 青瓷标本·明代

图 5-36 黑瓷罐·宋代

图 5-35 巩县窑白瓷碗·唐代

由表 5-4 可见，从时代上看，网上淘宝可以通过搜索很便捷地找到各个时代的颜色釉瓷器（图 5-34），从东汉晚期直至明清时期都可以找到。但就是看不到实物，仅从照片上看不太靠谱。不能说网上没有真品，但是应该是非常之少，不反对从网上淘宝（图 5-35），但应慎重。

从窑口上看，网络上的颜色釉瓷器在窑口上比较齐全，各个时代窑口都有见（图 5-36），不过也是真伪难辨。

图 5-37　印花青瓷标本·宋代

图 5-37　印花青瓷标本·宋代

　　从数量上看，不同时代的颜色釉瓷器在数量上相当，比较多见，这与其日用品的性质有关（图 5-37）。

　　从品质上看，东汉晚期、六朝时期、隋唐五代、宋元、明清时期颜色釉瓷器在品质上各有不同（图 5-38）。从整体上看，可以分为精致、普通、粗糙三个层次，但具体的情况应具体分析。如哥窑瓷器各个时代都有见，但显然还是以宋代为最好（图 5-39），其他时代在精致程度上有限。

图 5-38　紫釉瓷烟壶·民国

图 5-39 白瓷罐 · 宋代

　　从体积上看，颜色釉瓷器由于多数是日常生活用具，功能较为多样化，所以在大小上也不一，大小兼备。但也是具体情况具体分析，如汝窑瓷器基本上就是以小器为主（图 5-40），大器很少见到。

　　从检测上看，网上淘宝而来的颜色釉瓷器真伪难辨，完全依靠自己的鉴赏水平。

图 5-40 汝窑瓷碟 · 当代仿宋

五、拍卖行

颜色釉瓷器拍卖是拍卖行传统的业务之一（图5-41），是我们淘宝的好地方，具体我们来看一下表5-5。

表5-5 拍卖行颜色釉瓷器品质状况

名称	时代	品种	数量	品质	体积	检测	市场
颜色釉瓷器	东汉晚期	上虞窑	多见	普／粗	大小兼备	通常无	拍卖行
	六朝	德清窑	多见	精／普／粗	大小兼备	通常无	
	隋唐五代	邢窑	多见	精／普／粗	大小兼备	通常无	
	宋元	建窑	多见	精／普／粗	大小兼备	通常无	
	明清	景德镇窑	多见	精／普／粗	大小兼备	通常无	
	民国	景德镇窑	多见	精／普／粗	大小兼备	通常无	

图5-41 白瓷瓜棱罐·唐代

　　由表 5-5 可见，从时代上看，拍卖行拍卖的颜色釉瓷器各个历史时期的都有见（图 5-42），其中以各个时代的颜色釉瓷器精品为主（图 5-43）。

　　从窑口上看，拍卖市场上的颜色釉瓷器多数可以归入相应窑口，特别是拍卖行的拍品都是传承有序（图 5-44），如兔毫盏可以归入建窑；粉青和梅子青可以归入龙泉窑；天青釉瓷器可以归入汝窑等。

图 5-42　类汝釉瓷碗·宋代

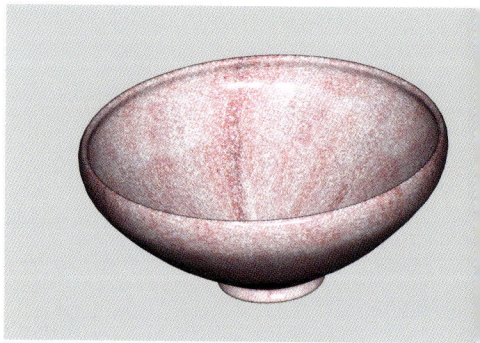

图 5-43　稳定性较好的浅淡玫瑰紫釉碗
（三维复原图）·宋代

图 5-44　景德镇窑茶叶末釉梅瓶·当代仿清

图 5-45 定窑"芒口"白瓷碗·宋代

图 5-46 精致黄釉瓷碟·宋代

图 5-47 天蓝釉钧花口沿瓷标本·宋代

从数量上看，古代颜色釉瓷器拍卖在总量上比较大，瓷器拍卖历代都是拍卖场上的大类（图 5-45），但具体数量主要是根据窑口产量而定。如景德镇窑元青花的数量就比较少见。从品质上看，拍卖场上的颜色釉瓷器在精致程度上以精致、普通者为主（图 5-46），但主要以精品为主。从体积上看，颜色釉瓷器在拍卖行出现的体积也是较为随意，大小器皿都有见。从检测上看，拍卖场上的颜色釉瓷器主要以买家的鉴赏能力为判断标准（图 5-47），拍卖只是一个平台。

六、典当行

典当行也是购买颜色釉瓷器的好去处。典当行的特点是对来货把关比较严格，一般都是死当的颜色釉瓷器才会被用来销售（图5-48）。具体我们来看一下表 5-6。

表 5-6 典当行颜色釉瓷器品质状况

名称	时代	品种	数量	品质	体积	检测	市场
颜色釉瓷器	东汉晚期	上虞窑	多见	普／粗	大小兼备	通常无	典当行
	六朝	德清窑	多见	精／普／粗	大小兼备	通常无	
	隋唐五代	邢窑	多见	精／普／粗	大小兼备	通常无	
	宋元	建窑	多见	精／普／粗	大小兼备	通常无	
	明清	景德镇窑	多见	精／普／粗	大小兼备	通常无	
	民国	景德镇窑	多见	精／普／粗	大小兼备	通常无	

图 5-48 卷沿白瓷瓜棱罐·宋代

由表5-6可见，从时代上看，典当行的颜色釉瓷器比较常见（图5-49），可以说各个时代都有见。如东汉晚期、六朝、隋唐五代、宋元、明清时期民国等等。从窑口上看，典当行的颜色釉瓷器在窑口特征上比较明确，玉璧足的雪白釉瓷器显然是归入邢窑（图5-50）；而斗笠形的模印花卉盏显然多属于耀州窑；漆黑大折沿盏显然可以归入定窑的黑定（图5-51），等等。

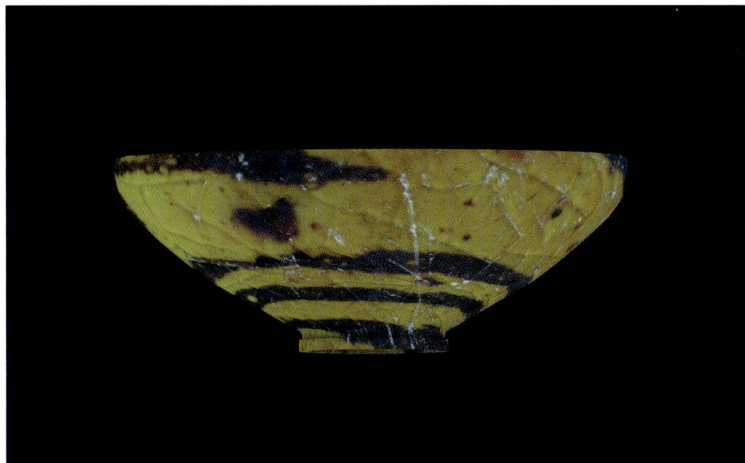

图5-49　绞胎碗（三维复原图）·唐代

图5-50　乳白釉白瓷碗·唐代

图 5-51 黑定瓷盏·宋代

图 5-52 白瓷杯·明代

从品质上看，典当行内的颜色釉瓷器精致者有见，普通、甚至是粗瓷都有见，但价格也是高低错落有致。从体积上看，颜色釉瓷器在体积上特征并不明确，大小兼具（图5-52）。从检测上看，典当行内的颜色釉瓷器制品一般没有检测证书，品级高低和真伪完全取决于购买者的鉴赏水平。

图 5-53　釉层均匀的豆青釉标本·清代

第二节　评价格

一、市场参考价

　　颜色釉瓷器在价格上升值很快（图 5-53、图 5-54），不过颜色釉瓷器的价格与窑口关系特别大。如哥窑瓷器是宋代五大名窑，所以哥窑在宋代就非常有名，虽然不是官窑，但哥窑总是能创造出天价（图 5-55）。

图 5-54　圆唇月白釉钧瓷罐·元代

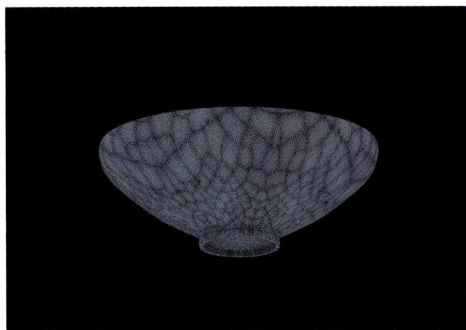

图 5-55　哥窑瓷碗（三维复原图）·宋代

图 5-56 汝窑天青釉瓷碗（三维复原图）·宋代

另外，价格与窑口的性质关系密切。如宋代汝窑天青釉瓷器、明清官窑颜色釉瓷器等，由于是官窑，所以烧造不计工本，都是精致瓷器（图5-56），价格自然非常高。

普通的古代颜色釉瓷器，如龙泉窑、耀州窑颜色釉瓷器在价格上上升也很快（图5-57），已经从数年前的几十元攀升至今日的数万元，可见颜色釉瓷器是所向披靡，青云直上九重天。但也可以看到颜色釉瓷器的参考价格具有复杂性。

图 5-57 龙泉窑青瓷碗·宋代

下面，让我们来看一下颜色釉瓷器的主要价格。但是，这个价格只是一个参考，因为本书价格是已经是抽象过的价格，是研究用的价格，实际上已经隐去了行业的商业机密，如有雷同，纯属巧合，仅仅是提供给读者一个参考而已。

宋 官窑贯耳瓶：2000 万～ 3600 万元。

南宋 龙泉窑仿官窑瓶：180 万～ 1890 万元。

宋 官窑琮式瓶：860 万～ 980 万元。

宋 汝窑瓷尊：2600 万～ 3600 万元。

宋 汝窑瓷洗：3200 万～ 6600 万元。

宋 白瓷盏托：0.3 万～ 0.6 万元。

金 钧窑梅瓶：86 万～ 96 万元。

金 钧窑胆式瓶：160 万～ 180 万元。

元 龙泉窑粉青洗：65 万～ 97 万元。

元 青白釉梅瓶：200 万～ 300 万元。

元 定窑盘：86 万～ 98 万元。

元 定窑碗：83 万～ 88 万元。

元 钧窑鼓钉洗：300 万～ 390 万元。

元 官窑贯耳壶：380 万～ 680 万元。

明 永乐葵口大盘：220 万～ 260 万元。

明 永乐墩式碗：96 万～ 180 万元。

明 弘治黄釉碗：40 万～ 60 万元。

明 嘉靖黄地绿彩盂：6.6 万～ 9.8 万元。

明 嘉靖黄釉碗：6.5 万～ 8.6 万元。

明 嘉靖甜白鹅颈瓶：93 万～ 180 万元。

明 宝石红釉碗：3 万～ 4 万元。

明 哥窑贯耳壶：180 万～ 280 万元。

明 白釉蛋壳杯：320 万～ 380 万元。

明 青白釉里红洗：48 万～ 66 万元。

清 康熙豇豆红釉瓶：1800 万～ 1900 万元。

清 乾隆霁红釉盘：1 万～ 4 万元。

清 乾隆霁红釉钵：16 万～ 20 万元。

清 乾隆黄釉绿彩盘：16 万～ 18 万元。

清 乾隆黄釉瓶：50 万～ 60 万元。

清 乾隆胭脂红釉碗：10 万～ 20 万元。

清 道光黄釉碗：5 万～ 8 万元。

清 道光霁红釉玉壶春瓶：30 万～ 36 万元。

清 道光黄釉如意：26 万～ 28 万元。

清 光绪鳝鱼黄釉扁瓶：16 万～ 18 万元。

清 宣统黄釉碗：8 万～ 9 万元。

清 宣统黄釉碗：5 万～ 8 万元。

清 霁红釉盘：5 万～ 6 万元。

清 祭红槌把瓶：0.9 万～ 1 万元。

明 宝石红釉碗：3 万～ 5 万元。

清 祭红釉天球瓶：0.9 万～ 1 万元。

清 霁红釉天球瓶：6 万～ 8 万元。

清 红釉瓶：0.9 万～ 1 万元。

清 铁锈红釉炉：5 万～ 8 万元。

清 红釉炉：0.9 万～ 1.2 万元。

清 祭红釉天球瓶：5 万～ 9 万元。

清 祭红尊：2 万～ 6 万元。

清 祭红天球瓶：6 万～ 8 万元。

清 黄釉描金尊：4 万～ 8 万元。

清 红釉炉：0.9 万～ 1.6 万元。

清 祭红釉天球瓶：5 万～ 12 万元。

清 珊瑚红釉金花盘：2 万～ 6 万元。

清 白瓷烟壶：0.5 万～ 1 万元。

清 德化白瓷香炉：1 万～ 2 万元。

清 胭脂红釉碗：9 万～ 13 万元。

清 霁红釉碗：4 万～ 8 万元。

图 5-58　白瓷瓜棱罐·唐代

图 5-60　较薄祭红釉瓷器标本·清代

图 5-59　釉质稠密的酱釉瓷瓜棱形执壶·宋代

二、砍价技巧

　　砍价是一种技巧（图 5-58），但并不是根本性商业活动，它的目的就是与对方讨价还价，找到对自己最有利的因素。但从根本上讲砍价只是一种技巧，理论上只能将虚高的价格谈下来，但当接近成本时显然是无法真正砍价的。所以忽略颜色釉瓷器品质的砍价并不可取（图 5-59）。

　　通常，颜色釉瓷器的砍价主要有这样几个方面：一是品相，颜色釉瓷器在品相上残缺不全者有见，但完好无损、精美绝伦者也有见，特别是明清官窑颜色釉瓷器有的品相相当好。不过外表看不到的商业修复也是常见，而能够识别这种修复则会成为砍价的利器（图 5-60）。

图 5-61 耀州窑模印花卉青瓷标本·宋代

图 5-62 通体施釉的汝窑瓷洗·当代仿宋

　　二是釉色，颜色釉瓷器的釉色最美，如明清两代是中国颜色釉瓷器大发展的时期，产生了众多的颜色釉瓷器品种，红彩、斗彩、五彩、金彩、三彩、白釉、铜红釉、紫釉、仿官釉、仿汝釉、仿哥釉、黄釉、绿釉、祭红釉、郎窑红、胭脂红、珐琅彩、粉彩等，可谓是种类繁多，色彩缤纷，星光璀璨，映红了历史的天空（图 5-61）。颜色釉瓷器从温度上可以划分为高温釉和低温釉两大类，通常将 1200℃ 以上的称为高温釉，将 1000℃ 以下的称为低温釉。高温釉瓷器色调高昂，色泽鲜亮，精美绝伦。低温度釉色彩鲜艳，稳定、淡雅、柔和、温润。颜色釉瓷器几乎将各种釉色烧造至极致（图 5-62），而这也恰是其价格昂贵的重要因素之一，同时也是砍价的重要依据。

　　从精致程度上看，颜色釉瓷器的精致程度民窑性质的窑场可以分为精致、普通、粗瓷等，那么其价格自然也就是参差不齐。所以，将自己要购买的颜色釉瓷器归类到各个层级，这是砍价的基础（图 5-63）。

图 5-63 龙泉窑青瓷盘·宋代

图 5-64 手感细腻的汝窑瓷瓶·当代仿宋

总之，颜色釉瓷器的砍价技巧涉及时代、造型、窑口、釉色、胎质、匀净程度等诸多方面，从中找出缺陷，必将成为砍价利器（图 5-64）。

第三节　懂保养

一、清　洗

清洗是收藏到颜色釉瓷器之后很多人要进行的一项工作（图 5-65），目的就是要把瓷器表面及其断裂面的灰土和污垢清除干净。

图 5-65　子母口白瓷盒·唐代

图 5-66 邢窑雪白釉瓷碗·唐代

图 5-67 月白釉钧瓷碗·元代

　　在清洗过程中，首先要保护颜色釉瓷器不受到伤害，要先观察颜色釉瓷器是高温釉还是低温釉。如果是高温釉，观察如果没有胎釉结合上的问题，可以采用直接入水法来进行清洗。但不要将颜色釉瓷器直接放到自来水中清洗（图 5-66），自来水中的多种有害物质会使瓷器釉面受到伤害。通常应将其放入纯净水中进行清洗；而低温烧造的颜色釉瓷器最好不要直接放入水中清洗，以免对瓷器造成伤害，或者使颜色釉瓷器出现胎釉剥离的现象。放入纯净水中清洗的瓷器，待到土蚀完全溶解后，再用棉球将其擦拭干净（图 5-67）。

　　遇到未除干净的瓷器，可以用牛角刀进行试探性的剔除，如果还未洗净，请送交文物专业修复机构进行处理，千万不要强行剔除，以免伤及釉面，这一点我们在收藏时一定要注意。

二、修 复

历经沧桑风雨，大多数颜色釉瓷器需要修复（图5-68）。如果只是一点小的磨伤等，调色上色就可以了，但是如果有大的残缺，修复主要包括拼接和配补两部分。拼接就是用粘合剂把破碎的颜色釉瓷器片重新粘合起来（图5-69），拼接工作十分复杂，有时想把它们重新粘合起来也十分困难，一般情况下主要是根据共同点进行组合，如根据碎片的形状、釉色等特点，逐块进行拼对，最好再进行调整。配补是研究修复的最后一个步骤，如有底有口沿的颜色釉瓷器碗都可以通过配补将其复原，就是把损坏不存在的部位，恢复到原来的形状（图5-70）。

图5-68 豇豆红釉瓷罐·当代仿清

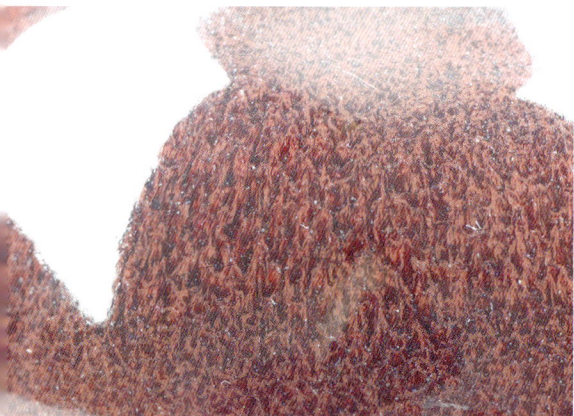

图5-69 豇豆红釉瓷器标本·当代仿清

图5-70 考古修复天蓝釉钧瓷碗·宋代

图 5-71　紫釉瓷罐·清代

　　配补的方法很多，主要有填补、模补，一般情况下残缺面积很小的部位，直接拿一块麻布进行填补后，进行修整就可以了。而残损比较严重的情况就必须进行模补（图 5-71）。另外，经过配补而形成的颜色釉瓷器，表面非常粗糙，可以说是坑凹不平，因此就需要对修补材料（特别是用石膏进行修补）的表面进行修整。经过修整后的石膏面基本平整，之后再用木砂纸等进行打磨，这样整个修复过程才可以说是完成了（图 5-72）。

图 5-72　紫红钧瓷标本·宋代

图 5-73 珍珠地划花瓷器标本·宋代

三、养 护

1.加 固

有相当一部分颜色釉瓷器是用石膏修复的，而石膏的机械强度极低，很容易破碎，所以需要对石膏进行加固，使石膏的强度增大，质地坚硬。具体操作方法是把环氧树脂混合液同乙醇按 1 ∶ 1 的比例混合后，用毛笔均匀地涂敷在石膏面上，利用乙醇把强度极大的永久性粘合剂环氧树脂混合液带进石膏内，这时的石膏面就会变得异常坚硬，不易破碎（图 5-73）。但这种加固并不是一劳永逸的，而是需要过一段时间后就要进行一次，不然有可能就会裂开。

2.相对温度

颜色釉瓷器的保养也很重要（图 5-74），特别是对于经过修复复原的颜色釉瓷器温度尤为重要。因为一般情况下粘合剂都有其温度的最好界限，如果超出就很容易出现粘合不紧密的现象。如热溶胶的溶解温度在 55℃左右（图 5-75），如果高出这个温度可能就要出问题，但一般情况下都不会高出这个温度，我们在保存时注意就可以了。

图 5-74 圜底汝瓷香炉·当代仿宋

图 5-75 坦腹花形白瓷盘·唐代

3. 相对湿度

颜色釉瓷器在相对湿度上一般应保持在 50% 左右（图 5-76），如果相对湿度过大，一些受过伤的胎体就会受到水的侵袭，水会沿着哪怕是再微小的裂缝进入到颜色釉瓷体内，如果温度下降至 0℃ 以下，就会产生巨大张力，从而导致颜色釉瓷器破碎（图 5-77）。

图 5-76　装饰功能极强的孔雀绿釉瓷瓶·宋代

图 5-77　青瓷标本·宋元时期

图 5-78 漆黑发亮的黑瓷双系罐·宋代

图 5-79 纯黑釉黑瓷瓶·五代

4. 存 放

古瓷器的存放要放置在震动小的地方（图 5-78），如工厂、铁道旁等就不适宜长期放置古瓷器真品。因为虽然震动不至于立刻使其开裂，但日积月累以防万一，最好就是像文物库房那样，将器物放置在架子上（图 5-79），而不是放置在柜子中，因为柜子开拉门的时候会产生一定的晃动。对于圜底的器物的处理要稳妥，一般情况下要做一个专门的架子进行放置。

5. 日常维护

颜色釉瓷器日常维护一般分为五步：

第一步是进行测量（图 5-80），对颜色釉瓷器的长度、高度、厚度等有效数据进行测量、拍照等，目的很明确，就是对颜色釉瓷器进行研究，以及防止被盗或是被调换。

第二步是建卡，古文物收藏的很多机构，如博物馆等，通常给颜色釉瓷器建立卡片。卡片上填写的内容很多，如名称，包括原来的名字和现在的名字，以及规范的名称；其次是年代，就是这件颜色釉瓷器的制造年代、考古学年代；还有质地、功能、工艺技法、形态特征等的详细文字描述，这样我们就完成了对古颜色釉瓷器收藏最基本的特征填写。

第三步是建账，机构收藏的颜色釉瓷器（图 5-81），如博物馆通常在测量、拍照、建卡片、绘图等完成以后，还需要入国家财产总登记账和分类账两种，一式一份，不能复制，主要内容是将文物编号，有总登记号、名称、年代、质地、数量、尺寸、级别、完残程度，以及入藏日期等。总登记账要求有电子和纸质两种，是文物的基本账册。藏品分类账也是由总登记号、分类号、名称、年代、质地等组成，以备查阅。

图 5-80 外撇沿孔雀绿釉瓷盘·宋代

图 5-81 "皑皑白雪"邢窑白瓷碗·唐代

图 5-82　黑瓷瓶·金代

　　第四步是防止磕碰，颜色釉瓷器的保养，防止磕碰是一项很重要的工作。瓷器容易摔裂，运输需要独立包装，避免碰撞。

　　第五步是平时不必清洗，用鸡毛掸子轻弹一下就可以了（图5-82）。但这个轻弹的动作要经常练习，这曾是民国时期古玩店学徒的必修课。

图 5-83　瓷化程度较高的类汝月白釉瓷碗·宋代

第四节　市场趋势

一、价值判断

　　价值判断就是评价值。在评判价值的过程中，也许一件瓷器有很多的价值（图 5-83）。一般来讲，我们要能够判断颜色釉瓷器的三大价值，即古瓷器的研究价值、艺术价值、经济价值。当然，这三大价值是建立在诸多鉴定要点的基础之上的。

　　研究价值主要是指在科研上的价值。如钧窑瓷器在釉色上最为绮丽，天蓝、天青、月白种基本色调交相辉映，还有灰青、淡青、青蓝釉等，其丰富程度是之前的釉质品种所罕见的（图 5-84）。

图 5-84　磁州窑系孔雀绿釉瓷瓶·宋代

钧窑瓷器的这些釉色，在数量、时代、概念、光泽、器形、精致程度等诸多方面都有着千差万别，而正是这些差异性特征构成了万变的钧窑釉色。在浓淡层次、深浅程度上的不断变化，使得钧窑瓷器入窑一色，出窑万彩。显然即使微小的变化，对于鉴定来讲也是很重要的依据。这就需要我们将这些变化归类，进行总结，以便得出科学的鉴定依据，以辨别钧瓷的真伪，断定其时代，评判其价值（图5-85）。

另外，在釉色上，钧窑瓷器显然是达到了窑变釉色的尽头，但钧瓷不仅仅产生这些釉色，而且种种迹象表明，钧瓷显然可以从宏观上控制这些釉色。钧瓷对于色彩学上的贡献可以说是前所未有的，充分运用了光、色等概念，在色彩明暗的运用上达到了相当高的水平，而这些对色彩的丰富程度都会有不可替代的重要作用（图5-86）。

图 5-85　精美绝伦的汝窑瓷器标本·宋代

图 5-86　尖唇白瓷碗·唐代

图 5-87 青瓷标本·宋代

　　总之，颜色釉瓷器在历史上名瓷荟萃，对于历史学、考古学、人类学、博物馆学、民族学、文物学等诸多领域都有着重要的研究价值，日益成为人们关注的焦点（图 5-87 至图 5-89）。

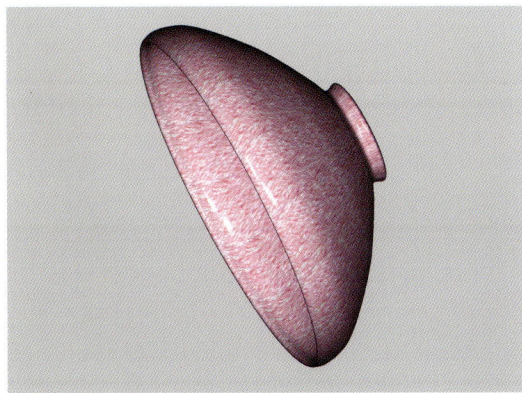

图 5-88　至纯至美的海棠红釉瓷碗（三维复原图）·宋代

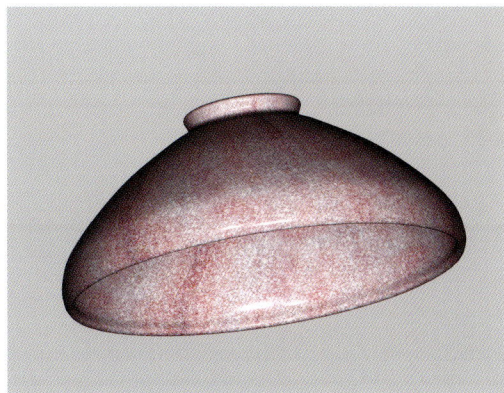

图 5-89　稳定性较好的浅淡玫瑰紫釉碗（三维复原图）·宋代

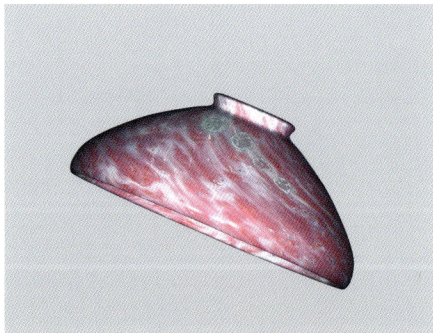

图 5-90 釉质鲜嫩的海棠红釉瓷碗（三维复原图）·宋代

图 5-91 钧瓷标本·宋代

艺术价值则更为复杂，如颜色釉瓷器的造型艺术、釉色、釉质等，都是同时代艺术水平和思想观念的体现。

例如钧红是一种视觉艺术，所有的钧红，无论是海棠红，还是玫瑰紫、丁香紫、葡萄紫、柿红等都是来源于生活（图5-90）。柿红显然是来自于钧瓷产地最为普通的一种水果，在秋天红彤彤地挂满了整个的树枝。但钧瓷在釉色上绝不是只追求模仿，而是高于生活，在给人视觉刺激（图5-91）、震撼的同时，也要给人启迪。通过色彩触动人们的情怀，将人们的思绪带入一种意境，使人们不仅可以沉寂在无尽的美好回忆当中，还可以憧憬美好的未来，给人以无尽的艺术享受。钧瓷在艺术上的最大成就，就是将艺术世俗化了。还有许多与钧瓷并驾齐驱，或者是艺术成就还要高的瓷器，如越窑秘色瓷，汝窑天青釉，龙泉窑梅子青、粉青，景德镇窑的豇豆红、酒蓝、仿哥釉、黄釉、珐华、祭红、矾红、祭蓝等釉色的精品瓷器，也都具有较高的艺术价值。而我们收藏的目的之一就是要挖掘这些艺术价值（图5-92）。

颜色釉瓷器还具有很高的经济价值。其研究价值、艺术价值、经济价值互为支撑，相辅相成，呈现出的是正比的关系。研究价值和艺术价值越高，经济价值就会越高；反之经济价值则逐渐降低。

图 5-92 三彩黄釉组合色彩标本·唐代

二、保值与升值

颜色釉瓷器在中国有着悠久的历史（图5—93），最早的颜色釉瓷器可以追溯至商周秦汉时期的原始青瓷。原始青瓷在色彩上还不是很稳定，是不成熟的青色。东汉晚期出现了真正意义上的青瓷，呈色稳定。当然青瓷出现的同时也出现了黑瓷。隋代白瓷烧制成功，唐代黄釉、绿釉等瓷器出现了，宋代钧窑出现了最早的铜红釉（图5—94），为元明清时期众多颜色釉瓷器产生奠定了坚实的基础。元代成功烧制了青花、釉里红、高温红釉、蓝釉、低温孔雀绿釉（图5—95）。明、清两代是中国颜色釉瓷器大发展的时期，产生了众多的颜色釉瓷器品种，红彩、斗彩、五彩、金彩、三彩、白釉、铜红釉、紫釉、仿官釉、仿汝釉、仿哥釉、黄釉、绿釉、祭红、郎窑红、胭脂红、珐琅彩、粉彩，等等（图5—96），可谓是种类繁多，色彩缤纷，犹如星光璀璨。

今天，颜色釉瓷器受到人们追捧，趋之若鹜。近些年来股市低迷、楼市不稳有所加剧，越来越多的人把目光投向了颜色釉瓷器收藏市场。在这种背景之下，颜色釉瓷器与资本结缘，成为资本追逐的对象，高品质的颜色釉瓷器的价格扶摇直上，升值数十上百倍，而且这一趋势依然在迅猛发展。从品质上看，颜色釉瓷器对品质的追求是永恒的，并以官窑瓷器为显著特征，精品力作频现，但颜色釉瓷器并非都是精品力作。

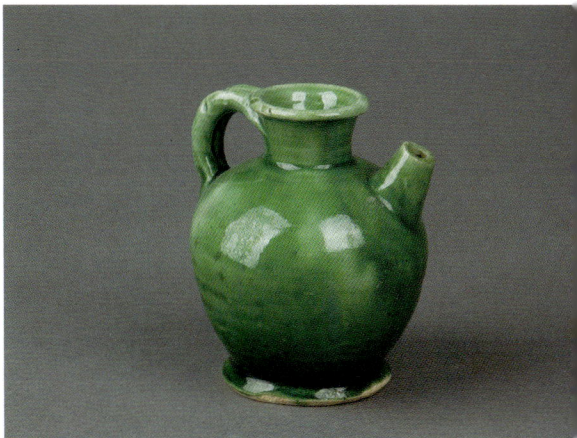

图 5—93　绿釉三彩执壶·宋代

图 5—94　兔毫釉茶盏·宋代

　　人们对于颜色釉瓷器的追求，源自于对于美好生活的回忆。颜色釉瓷器官、民窑兼具，贴近生活，具有浓郁的生活气息，正好契合人们的各种美好夙愿。因此，中国古代颜色釉瓷器具有很强的保值和升值功能。总之，对于颜色釉瓷器而言，已是不可再生，具备了"物以稀为贵"的商品属性，具有保值、升值的强大功能。

图 5-95　天蓝釉钧瓷碗（三维复原图）·宋代

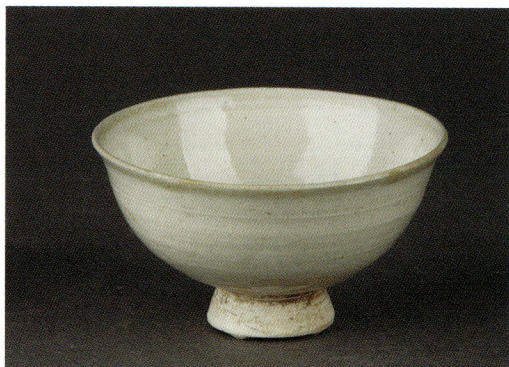

图 5-96　白瓷杯·宋代

参考文献

[1] 南京市博物馆，南京市玄武区文化局．江苏南京市富贵山六朝墓地发掘简报 [J]．考古，1998(8)．

[2] 西北大学考古队．重庆云阳乔家院子遗址唐宋时期遗存 [J]．江汉考古，2002(3)．

[3] 云冈石窟文物研究所，山西省考古研究所，大同市博物馆．云冈石窟第窟遗址发掘简报 [J]．文物，2004(6)．

[4] 偃师商城博物馆．河南偃师唐墓发掘报告 [J]．华夏考古，1995(1)．

[5] 安阳市文物工作队．安阳市戚家庄隋唐窑址发掘简报 [J]．华夏考古，1997(3)．

[6] 姚江波．钧瓷收藏鉴赏知釉质．辨纹饰．察口唇 [M]．北京：中国铁道出版社，2010．

[7] 耿宝昌．元代釉里红瓷器．中国大百科全书．博物馆卷 [M]．北京：中国大百科全书出版社，2002．

[8] 姚江波．五招鉴定颜色釉瓷 [M]．上海：上海科学技术文献出版社，2010．

[9] 浙江省文物考古研究所，慈溪市文物管理委员会．浙江慈溪市越窑石马弄窑址的发掘 [J]．考古，2001(10)．